VARESE WORLD

Carlo Meazza, 1945, laureato in sociologia,
fotografo professionista dal 1973,
ha realizzato numerosi libri
dedicati al paesaggio lombardo e ticinese.
Altre sue opere riguardano il Tibet e l'Africa.
Ha due figli e vive a Varese.

Testi Pietro Macchione
Fotografie Carlo Meazza
Traduzione Susi Clare
Scansione immagini Fotolito Varese

Collana "I COLORI"

MACCHIONE EDITORE
Via S. D'Acquisto, 2 - 21100 Varese
Tel. e Fax 0332 232387
www.macchione.it
editore@macchione.it

Finito di stampare
nel mese di novembre 2007
da Artestampa, Galliate Lombardo (VA)
www.arte-stampa.com

ISBN 978-88-8340-371-2

Pietro Macchione - Carlo Meazza

MACCHIONE EDITORE

VARESE CONTINUA A STUPIRCI

I bei paesaggi possono cambiare con l'evoluzione dell'uomo ma non al punto di trasformarsi in un'insipida estensione senza più tracce di ricordi, di storia oltre che di equilibrio dell'ecosistema.
Annullati dall'eccessiva antropizzazione del territorio, stemperati lungo l'estensione di città metropolitane senza più soluzioni di continuità che garantivano agli antichi borghi del passato e ai loro abitanti l'appartenenza a un'identità non solo geografica, i paesaggi rispecchiano sempre le scelte dell'uomo nel bene come purtroppo nel male.
Anche attraversando o sorvolando il Varesotto non si possono negare alcune ferite inferte alla verde terra di laghi e giardini. Ma ad onor del vero e per nostra immensa fortuna, paradossalmente in questa terra di primati e miracoli industriali, la vis generatrix di una natura mai completamente piegata continua ad avere la meglio. Complice anche una sensibilità istituzionale che da diversi decenni ad oggi è intervenuta personalmente per sanare alcune piaghe, indirizzare e coniugare le ferree leggi dell'economia di mercato con un patrimonio ambientale che non ha molti eguali in Europa.
Varese con i suoi laghi, le Prealpi, le brughiere e i tanti giardini continua malgrado tutto a stupire. La contemplazione delle sue preziosità attraverso la mutevolezza stagionale ha suggestionato eroi romantici, intellettuali, letterati e artisti. Suggestione che appartiene ancora all'oggi tanto da poter essere raccontata e illustrata in tutta la sua bellezza dalla sensibilità di chi, come il fotografo Carlo Meazza e l'editore Pietro Macchione, attraverso questa preziosa pubblicazione, hanno saputo coglierne la vera, cangiante anima a cui tutti noi, da generazioni, ci sentiamo vincolati, riconoscenti e soprattutto custodi.

Dario Galli
Presidente della Provincia di Varese

VARESE CONTINUES TO AMAZE US

Beautiful landscapes may alter as a result of the evolution of mankind, but not to the extent of becoming a bland expanse devoid of all landmarks, history and a well-balanced ecosystem.
Man's choices, be they right or wrong, have always affected the landscape, spoiling it by excessive anthropisation of the land, eating away at it along city limits and disrupting the continuity which in the past conferred a sense of belonging and an identity that was not only geographical to the ancient villages and their inhabitants.
Certain scars inflicted on the green land of lakes and gardens are evident even when crossing or flying over the Varese district. But to tell the truth, luckily for us in this area famous for record-holders and industrial miracles, the generating force of nature has paradoxically never been completely subdued and carries on fighting back. What has helped is an awareness on the part of the authorities, which for several decades now have intervened to rectify certain calamities and work towards combining the iron laws of market economy with an environmental heritage that has few equals in Europe.
Varese, with its lakes, Alpine foothills, moors and plentiful gardens, continues in spite of everything to amaze. Romantic heroes, intellectuals, men of letters and artists have all been inspired as they contemplated the beauties of the area during the changing seasons. Such inspiration still exists today, and has with great sensitivity been narrated and illustrated in all its glory by photographer, Carlo Meazza, and publisher, Pietro Macchione, whose noteworthy book has captured the true and magical spirit of the area, to which for generations we have all felt bound, thankful and above all guardians.

Dario Galli
President of the Province of Varese

Indice

Varese e il suo territorio

Può sembrare strano in un'epoca come la nostra nella quale le comunicazioni tra un capo e l'altro della Terra si svolgono rapide e sicure, ma Varese e il suo territorio hanno ancora bisogno di farsi conoscere, di essere presentati al mondo. Stretto e nello stesso tempo protetto dai suoi grandi laghi (Verbano e Ceresio) e dai suoi due maggiori fiumi (il Ticino e l'Olona), il Varesotto si presenta come uno speciale e robusto cuneo di metallo puro incastonato tra la Svizzera e il Piemonte, tra le province di Milano e di Como. Con tutti questi territori, a motivo delle sue antiche vicende geologiche e quindi storiche e poi sociali, Varese ha stretti legami di parentela, ma sono profonde e significative anche le differenze, tanto da poter configurare un archetipo del tutto autonomo e particolare del quale però si è cominciato solo da pochi anni a prendere coscienza. La storia e le connotazioni del Varesotto e più in particolare di alcune sue zone sono state confuse infatti a lungo con la storia di Milano e di Como ed ancora con le vicende di quella particolare entità territoriale e culturale che ha come centro il Lago Maggiore. Persino nei confronti della Svizzera, le cui comunità più prossime all'attuale confine sino al Cinquecento costituivano un tutt'uno con la terra varesina, si è spesso verificata una strana forma di attrazione basata sulle occasioni di lavoro e su talune forme del costume. Occorreva una forte e indomita coscienza di sé per resistere al canto ammaliatore di tante sirene. E di ciò va dato atto a una ristretta pattuglia di personaggi che negli ultimi due secoli si sono battuti a lungo per giungere alla piena identificazione e autonomia del territorio varesino. E dalla cui azione sono poi concretamente derivate l'identificazione di confini sicuri e l'istituzione di un ente territoriale a carattere socio-politico. Anche in ciò Varese oggi potrebbe sembrare un soggetto che va controcorrente. Da più parti si levano voci che mettono in discussione la funzione e l'utilità delle Province, ma -domandiamoci- se non fossero esistite le Province, avrebbe potuto mai il Varesotto raggiungere non solo l'autonomia amministrativa, ma soprattutto la piena identificazione di un proprio territorio e l'esaltazione delle proprie connotazioni di storia e civiltà? Senza un ente come la Provincia, il Varesotto e la sua operosa gente sarebbero restati per sempre confusi in altre entità territoriali che comunque non li rappresentavano in modo adeguato; la loro storia, lungi da ogni visione unitaria e complessiva, ci sarebbe apparsa ancora come un casuale intreccio di episodi resi evanescenti poiché considerati minori rispetto alle vicende di Comuni e Stati che vantano una maggiore tradizione. Forse è il caso di aggiungere che ancora oggi, tranne poche significative eccezioni degli anni scorsi, si fa fatica a individuare una solida pattuglia di studiosi che lavora con tratto unitario sull'entità storica varesina, mentre continuano a trovare grande credito gli studi e le ricerche su singole "eccellenze" che comunque sono già molto note e studiate.

Per chi proviene da Milano, superata la pianura gallaratese e tradatese, il Varesotto ha principio nel vivo di un'ampia fascia di colline che trovano il loro naturale sbocco nel vasto pianoro su cui è sorta Varese. Da questa città, che si trova al centro di un suggestivo anfiteatro di montagne di varia altezza, si diparte un sistema di profonde valli, tutte scavate dai ghiacciai e spesso interrotte da

considerevoli depositi morenici, che con grande effetto scenografico sembrano prenderci per mano e condurci nel cuore delle Alpi.
Ci appare così evidente, già sul piano geologico, una continuità territoriale, una proiezione verso i valichi alpini e le regioni del nord-ovest europeo, di cui il Varesotto costituisce dapprima l'approdo e quindi l'ulteriore punto di partenza. Sembra essere stata la natura stessa a dettare le condizioni per la nascita di Varese e via via degli altri agglomerati del suo territorio. E ciò ha costituito la forza e la ricchezza di entrambi poiché, se Varese è sempre stata l'insostituibile punto di riferimento delle comunità vicine, a sua volta il Varesotto lo è stato per le relazioni tra il nord e il sud dell'Europa occidentale; ed ancora per il fluire degli scambi tra le regioni occidentali e quelle orientali del sistema padano alpino.
Se ad Angera spetta la palma del primo insediamento urbano sul Lago Maggiore, si deve riconoscere al lago di Varese d'essere stato la culla dei primi abitanti di Varese. Come ha scritto Luigi Ambrosoli: "Nel territorio varesino è possibile riconoscere l'esistenza di una presenza umana più consistente a partire dal IV millennio a.c. In questa fase, attorno agli specchi d'acqua che si distinguono oggi con i nomi di lago di Varese, di Monate, di Comabbio, di Biandronno e sulle sponde del Verbano i primi abitatori costruirono dei villaggi con capanne di pietra e legname, rivestite di canne, tenute insieme da impasti di argilla e ricoperte di strame, sostenute da palafitte".
Lungo le rive del lago di Varese sono state individuate importanti stazioni palafitticole nelle località di Bardello, Cazzago Brabbia, Bodio e sull'Isolino. Tutto lascia pensare che queste popolazioni fossero dedite alla caccia e alla pesca e che la loro esistenza sia trascorsa in condizioni di relativa tranquillità per alcune migliaia di anni, sino alla prima età del ferro che coincise con l'arrivo di nuove e bellicose popolazioni. Fu così che in un arco temporale che oscilla tra il 1000 ed il 500 a.c. "gli abitanti delle palafitte dovettero allontanarsi dalla regione dei laghi perché ritennero più opportuno sistemarsi sulle alture circostanti giudicando che fossero posizioni più facilmente fortificabili e difendibili".
In questa affermazione di Luigi Ambrosoli, che collima con i dati storici relativi alla conformazione urbana assunta dal Varesotto nel periodo tardo romano e successivo, si possono individuare le condizioni che resero possibile, nel breve perimetro delimitato dal fiume Vellone, la nascita del primo nucleo storico di Varese, e tutt'intorno di altri insediamenti minori, in primo luogo le Castellanze, che in epoche successive entrarono a far parte della città.
Furono sicuramente i Celti a colonizzare sin dal quinto secolo a.c. il Varesotto. In particolare gli Insubri assunsero il controllo del territorio che oggi ricade nelle province di Como e di Varese e nel Canton Ticino, ma è arduo definire un preciso confine territoriale in quanto le tribù dei Celti amavano spostarsi di continuo sia per motivi legati al fabbisogno alimentare, sia per il loro celebrato culto della libertà.
Fu questo culto della libertà a portare ben presto gli Insubri allo scontro diretto con le legioni romane. Quando però nell'anno 222 a.c. Roma occupò Mediolanum (Milano), la storia degli Insubri subì una svolta definitiva in quanto ebbe inizio una graduale assuefazione alle leggi, ai costumi, alla religione e alla lingua dei Romani. Come ha scritto Renzo Dionigi, "la concessione della cittadinanza romana comportò la sparizione delle usanze celtiche dalla vita sociale, lo stabilimento del diritto romano, il venir meno, almeno giuridicamente delle forme galliche di clientela. Abbastanza rapidamente tanto le *élite* galliche quanto le masse abbandonarono la loro lingua celtica per il latino".

Sono proprio le fonti archeologiche a testimoniare la grande rilevanza che ebbe la presenza romana a Varese e dintorni mediante il tracciato di una fitta rete di vie di comunicazione, di porti, di mercati, di stabili insediamenti urbani e in seguito di baluardi difensivi. "Almeno fin dal IV secolo d.c.", sempre a parere di Luigi Ambrosoli, "si deve ritenere che il territorio varesino fosse considerato importante per lo sviluppo civile che aveva avuto e per le attività che vi si svolgevano così da prevedere un collegamento diretto, attraverso una strada percorribile senza particolari difficoltà, tra esso e Milano". È comunque indiscutibile che sin dagli ultimi secoli della dominazione romana il pianoro di Varese e le alture circostanti abbiano assunto le caratteristiche di un potente luogo fortificato, un vero e proprio vallo difensivo, variamente articolato sul territorio, che aveva il compito, sull'asse Vellone-Olona, di costituire una prima e forte difesa contro le invasioni provenienti da nord ovest in direzione di Milano e della pianura padana.
Il nucleo principale era costituito dalle fortificazioni di Santa Maria del Monte che erano strettamente collegate con il complesso fortificato di Velate, che discendevano sino a Masnago e Casciago. A ulteriore protezione di questo ampio apparato militare agiva una torre posta sul monte San Francesco, senza trascurare il ruolo coordinato dei castelli di Orino e Frascarolo. Strutturato a difesa era anche il nucleo di Varese, con le fortificazioni che si estendevano dalla località Motta sino al parco di villa Mirabello. Il tutto era completato dal baluardo di Belforte che in connessione con le torri poste a Biumo Superiore, Cascina Mentasti, Giubiano e Bosto controllava la strada in direzione di Como e del Seprio.
Attivo e tenuto in efficienza sino alla caduta dell'impero romano, il vallo fortificato varesino nei secoli successivi, specie con l'arrivo dei Longobardi, finì per cedere questo ruolo esclusivamente militare a Castelseprio. Quando Castelseprio divenne punto centrale di controllo militare del cosiddetto Seprio, Varese aveva compiuto altre scelte, sviluppando quegli aspetti di civiltà e commercio che vi erano già presenti dall'epoca romana. Mentre Castelseprio rimase solamente una fortezza, per lunghi periodi di tempo disabitata, Varese, dove le fortificazioni venivano smantellate e i loro preziosi materiali utilizzati per edificare edifici civili e pubblici, richiamava popolazione e attività mercantili.

Quando venne citata per la prima volta, in una pergamena dell'8 giugno 922, Varese aveva dunque alle spalle secoli di intensa vita civile e mercantile che di fatto l'avevano candidata a un avvenire più luminoso e complesso. Inoltre sin dalla fine del X secolo si hanno documenti che contengono espliciti riferimenti sul mercato di Varese considerato come un efficiente luogo di scambi e di commerci che godeva di una posizione di privilegio nell'area Lombarda.
Fu comunque con gli Statuti del 1347 che la complessa materia del commercio cittadino venne affrontata in modo organico, con la dignità della legge e il rigore delle norme. Il che ha fatto scrivere a Luigi Borri che "gli Statuti varesini... non costituiscono una testimonianza di vera e assoluta indipendenza comunale, ma solo la prova di un bagliore di libertà civile". Grazie agli Statuti apprendiamo che Varese al tempo era retta da un Vicario (in seguito denominato Podestà), da quattro Consoli, da un Consiglio Generale o Maggiore e da uno più ristretto o Minore; era quest'ultimo ad avere un peso determinante nelle decisioni e scelte cittadine. Ma veniamo ai "mercanti" che tenevano banco alla Motta e nel borgo. Il caso preso in esame riguarda la vendita di una qualsiasi mercanzia, tutta o in parte, a persona che non procedeva al pronto pagamento del prezzo pattuito.

Il venditore poteva appellarsi con semplice petizione al vicario e ai consoli e costoro erano tenuti a "far citare" il compratore inadempiente costringendolo subito a pagare "senza strepito e forma di giudizio, né dazione di libello".
È immediatamente intuibile l'importanza di questa norma. Si voleva che la piazza di Varese fosse retta da regole certe e da criteri di pronta ed efficace giustizia. Non vi era posto per avventurieri che cercassero di trarre profitto dai mille inghippi dei tribunali. La compravendita era un atto che avveniva alla luce del sole tra persone di buona fede, se gli affari poi procedevano rapidi e onesti ne derivava un vantaggio generale per il borgo, giacché venditori e compratori vi si sarebbero recati con la certezza di poter far valere i propri diritti. Le autorità si adoperavano pertanto per evitare ogni possibile strascico o rumore della vertenza, destinata a concludersi sul luogo stesso dove aveva avuto inizio e con le stesse semplici formalità che regolano ogni atto di commercio.
Non è sbagliato pensare che gli Statuti assegnassero una grande protezione ai venditori, al fine di favorirne la presenza sul mercato varesino. Siamo in presenza di un interesse reale: il mercato traeva forza proprio dall'abbondanza delle merci che vi giungevano e dalla loro varietà e qualità. Inoltre l'interesse dei Varesini ad ospitare un buon numero di venditori dipendeva anche dalla scarsa abbondanza dei propri prodotti agricoli e dall'opportunità di smerciare in quantità crescente manufatti e attrezzi realizzati nei numerosi laboratori artigianali.
Ecco perché, come ha scritto Giuseppe Meazza, il mercato di Varese "era frequentato da mercanti e compratori che arrivavano dalla pianura, da Gallarate, da Busto e da Saronno, come dal retroterra delle valli prealpine, fino alla zona del sud Gottardo". Tuttavia, come suggerisce Leopoldo Giampaolo, la sua maggior fortuna derivò dall'essere stato sino al Quattrocento l'unico mercato del Varesotto. Sicché, chiunque avesse voluto comperare grano d'ogni varietà, latticini, pesce e cacciagione, bestie vive, utensili, attrezzi e stoffe doveva mettersi in marcia alla volta di Varese.
Il monopolio di cui godevano i Varesini, e che si configurava persino nell'obbligo per i residenti nelle pievi di Varese, Arcisate, Leggiuno e Cuvio di acquistare granaglie e risi solo sul mercato della Motta, venne meno solo in epoca moderna a motivo delle ripetute pressioni di altre comunità, in particolare a vantaggio di Luino e Laveno.

Altrettanto nota è la vicenda della fiera del bestiame che si teneva nella prima quindicina di ottobre, sempre alla Motta. Frequentatori assidui ne erano gli allevatori dei Cantoni elvetici e diversi cittadini tedeschi che vi conducevano in gran numero buoi e torelli, asini e cavalli. In tal modo essi soddisfacevano l'imponente fabbisogno della terra lombarda dove tali allevamenti avevano scarsa rilevanza. In tre o cinque giorni si arrivava a concludere affari per la vendita di almeno duemila bestie. Agli acquirenti locali si aggiungevano i mercanti provenienti dall'Alto Milanese e da diverse città padane, sino al territorio veneto. Numerosi erano i mercanti all'ingrosso che acquistavano intere partite di bestie per poi rivenderle al minuto nei paesi d'origine.
Non ci sorprende perciò se nel periodo della Signoria viscontea Varese venne acquistando una graduale autonomia da Milano in campo economico. Le relazioni tra i "reggenti" del borgo e i funzionari viscontei erano improntate alla massima collaborazione e fiducia e pertanto i Varesini non esitavano a chiedere interpretazioni e provvedimenti di favore. Non senza importanza, proprio ai fini del mercato, fu l'autonomia concessa nell'anno 1370 in materia di approvvigionamenti, sottraendo Varese alle decisioni dei funzionari milanesi.

Una svolta decisiva si ebbe a seguito delle complesse vicende che portarono le lombarde terre dell'attuale Canton Ticino a far parte della nazione svizzera e della successiva "pace perpetua" di Friburgo (1516) in virtù della quale la Lega Svizzera si assicurò il possesso di Locarno, della val Maggia, di Lugano e del Mendrisiotto. Varese divenne all'improvviso terra di confine e, come ha scritto Marina Cavallera, a partire da questo momento fu "uno dei pochi centri commerciali dello Stato autorizzati alla vendita di derrate alimentari alle popolazioni confinanti". Mantenere rapporti di buon vicinato era essenziale sia per questo motivo, sia per garantire come in passato l'acquisto del bestiame svizzero che dava vigore all'annuale fiera. Gli accordi con gli svizzeri prevedevano in realtà che essi avrebbero potuto acquistare a Varese solo delle "modeste" quantità di grano e di altre mercanzie, intendendosi, col termine "modeste" misure sufficienti all'uso personale. Non si voleva che granaglie, legumi, riso, vino e altri prodotti agricoli del Milanese venissero poi rivenduti a scopo commerciale su altri mercati. Nelle intenzioni delle autorità tali limitazioni avevano pure carattere politico volendo impedire che gli svizzeri traessero da questi traffici grandi vantaggi o ne facessero un motivo di imposizione della propria volontà su Milano.
Sul commercio dei grani si giocavano quindi molte partite e non senza contraddizioni. Ai Varesini ad esempio non importava granché delle preoccupazioni politiche e delle condizioni dei trattati: se avevano del grano da commerciare volevano essere liberi di venderlo a chi meglio lo pagava. Fu così inevitabile il sorgere di contrasti tra Varese e Milano, tra contadini e commercianti da una parte e autorità politiche dall'altra, tra svizzeri e lombardi, che spesso degenerarono in episodi di violenza e da cui ebbe inizio soprattutto un crescente e sempre più vistoso fenomeno di contrabbando.
È sempre la Cavallera a dirci che già nel 1533, a causa della carestia che minacciava il livello di vita delle popolazioni locali, le autorità, "furono costrette a prendere provvedimenti contro le indiscriminate esportazioni di grano". Fu allora fissato un quantitativo mensile di 500 some, da smerciarsi nei soli mercati di Varese, Como, Lecco e Intra (quest'ultimo da alternarsi con Pallanza). E così, in un modo o nell'altro, furono anni buoni per i commerci varesini, e se le campagne locali davano scarsi raccolti, il grano veniva procurato su altre piazze. Da tutti i comuni il prezioso vegetale veniva condotto nella città prealpina e da qui prendeva la strada verso nord.

Per molteplici motivi il diciottesimo secolo viene considerato decisamente più favorevole al progresso delle iniziative di natura economica e delle condizioni sociali della popolazione varesina. Certo è che nell'arco di cento anni si verificarono o presero avvio dei processi storici di grande portata. Intanto con il Trattato di Utrecht si determinarono le condizioni per il passaggio della Lombardia dalla corona di Spagna a quella d'Austria. Come ha felicemente sintetizzato Luigi Ambrosoli, "la dominazione austriaca in Lombardia ebbe il pregio della correttezza e della razionalità politico-amministrativa rispetto al malgoverno di Madrid, introdusse importanti riforme nella vita dello Stato, ma negli anni della restaurazione successiva alla caduta di Napoleone fu inflessibile nel reprimere con i mezzi più intransigenti e a volte con crudeltà le aspirazioni liberali e nazionali dei suoi sudditi italiani".
In verità per buona parte del secolo nulla sembrò cambiare per la vita dei Varesini, la cui economia continuava a ruotare attorno al mercato, all'agricoltura, all'artigianato e alla permanenza nelle ville di ricche famiglie patrizie e di alti funzionari del nuovo governo imperiale. Risultati questi che

corrispondevano comunque a processi sociali ed economici che avevano avuto origine nel secolo precedente. Si era rafforzata infatti la presenza di personaggi che operavano nel mondo delle libere professioni, del commercio e dell'artigianato, finendo per costituire una ricca e intraprendente borghesia che conduceva i propri affari sia in direzione di Milano e della pianura padana, sia in direzione della Svizzera e dell'Europa centrale, ma anche del Piemonte e delle più vicine regioni francesi, e infine in direzione dell' Austria e dell'Europa centro-orientale. Questa borghesia, al cui interno militavano anche le più antiche e nobili famiglie del borgo, portava avanti i propri "negozi" con molta libertà e spesso con spregiudicatezza.
È di questa particolare e privilegiata condizione che si deve anzitutto tenere conto quando si cercano le motivazioni che resero possibile sin dalla seconda parte del secolo una grande intraprendenza in campo manifatturiero. Fu determinante la saldatura tra le abilità professionali e artigianali acquisite in secoli ininterrotti di attività, tra la considerevole accumulazione di capitali realizzatasi grazie alla straordinaria continuità delle attività mercantili, tra l'abitudine a stabilire negoziazioni con mercanti di altre regioni e nazionalità, tra la rete di conoscenze e interessi consolidati in territori lontani. Il tratto distintivo che ne emerge è che, nel caso di Varese, non si deve tanto porre l'accento sulla presenza di un'abbondante e generica manodopera, quanto sulla formazione e il consolidarsi di una vasta classe imprenditoriale con un'adeguata cultura mercantile e di un ricco serbatoio di artigiani altamente specializzati e a loro volta assai propensi a cogliere nuove straordinarie occasioni di lavoro e crescita.
Nello stesso tempo, grazie all'ulteriore sviluppo avuto dall'abitudine di villeggiare in Varese e di edificare nuove e magnifiche ville, la città venne acquistando l'altro suo carattere distintivo di città giardino o, come si diceva un tempo, di "Versailles di Milano". A questo fenomeno si accompagnarono a più riprese energiche misure dirette a migliorare l'aspetto urbanistico del borgo e la condizione igienica di strade, abitazioni e botteghe.

Il più autentico interprete del nuovo spirito di Varese fu Francesco III d'Este che, durante il periodo di Reggenza esercitato a Milano, ebbe modo di conoscere e apprezzare la città prealpina, al punto di sceglierla come propria dimora e diventarne Signore. Tra i primi suoi atti vi fu, nel marzo del 1766, l'acquisto del terreno sul quale avrebbe edificato Villa d'Este.
Sono proprio le complesse pratiche svolte per l'infeudazione di Varese a favore di Francesco III d'Este a fornirci una prima e generale valutazione dell'economia varesina alla metà del Settecento. Posta a capo di una pieve che comprendeva altre 25 comunità, in quel lontano 1765, ad eccezione del clero secolare e regolare e delle monache, Varese contava 5.743 anime, di cui soltanto 2.357 erano residenti nel borgo. La restante parte era distribuita tra le castellanze di Biumo Superiore e Inferiore, Casbeno, Cartabbia, Giubiano, Bosto e Cascina Mentasti. Molto favorevole veniva giudicata la propensione al commercio, distando otto miglia dal lago Ceresio e dodici dal Maggiore. Tra le mercanzie esportate si annoveravano ovviamente i grani e per restare all'agricoltura, il "vino di buona qualità". Il primato dei traffici toccava però alla seta giacché, si scriveva, "oltre ai mercanti, non vi è persona che sia fornita di qualche capitale di denaro che non si studi d'impiegarlo in gallette per farle poi filare a proprio conto". Una parte della seta così prodotta veniva utilizzata dalle manifatture stabilite nello stesso Borgo per produrre "bindelli, zendali e fazzoletti"; i primi trovavano il loro maggior mercato a Como e Milano; zendali e fazzoletti invece a Lugano e sul

Lago Maggiore (quindi anche direzione del Regno Sabaudo). Il resto della produzione era affidato, a rischio dei padroni, ad alcuni mercanti che cercavano di piazzarlo sui mercati di Zurigo, Basilea e Lione. A tale proposito si faceva esplicitamente riferimento a due imprese varesine che esercitavano questa attività: la Casa de' Conti Sacchi di Lione e la casa Adamoli. Delle due, la prima era accreditata di molta ricchezza, mentre la seconda era venuta da poco a qualche fortuna.
L'Istruttoria segreta rivelava in sostanza che Varese presentava un corpo talmente sano da costituire un ulteriore elemento di persuasione nei confronti di Francesco III il quale, pertanto, accettava di diventare Signore di Varese. Per alcuni studiosi, ad esempio Luigi Brambilla, "Francesco III considerò Varese come un luogo di divertimento più che di dominio, e la tradizione popolare ci presenta la vita sua qui condotta sempre piacevole. Ci ricorda le splendide feste, i sontuosi conviti dati nel suo palazzo, tuttora detto la Corte, ed a cui invitava buon numero di cittadini. Non è morta la memoria delle lunghe partite di giuoco in cui egli perdeva rilevanti somme di denaro a bella posta per ingraziarsi i giuocatori; dei raggiri di alcuni bottegai per aver doppio guadagno sulle merci somministrate, di cui egli non se ne dava per inteso, quasi godendo di aver modo di spendere largamente. Ancor si rammentano gli intrighi di dame e damigelle di Corte, che offendevano le sincere abitudini dè nostri padri; certi sentieri che il Duca percorreva a piedi e solo per andare a geniali ritrovi; ancor si bisbigliano i nomi di certe persone favorite. Ma se la tradizione, forse alquanto esagerata, ricorda tutto questo, non dimentica però le ville in allora costruite o riabbellite, il languente commercio ristorato con nuove fonti di lucro, i buoni ordinamenti di igiene e di amministrazione del Comune; il che giustifica la gratitudine dimostrata in varie circostanze al Duca dai varesini, sebbene da principio questi si fossero adoperati per non averlo signore".
Diverso il giudizio di altri studiosi come Luigi Zanzi, Gian Franco Garancini e Luigi Ambrosoli, per i quali con Francesco III Varese rafforzò il suo peculiare aspetto urbanistico che in genere viene indicato sotto la denominazione di "Civiltà di villa". Citiamo ancora una volta Luigi Ambrosoli per testimoniare che "Civiltà di villa" non significò soltanto un uso sapiente e scenografico del territorio a vantaggio di poche, elette famiglie, ma rappresentò l'inizio di una significativa e moderna modificazione del tessuto economico che contribuì non poco al successivo sviluppo industriale: "Varese si trovava in una posizione privilegiata e non solamente perché assumeva... la fisionomia della Versailles di Milano, ma perché tra Varese e Milano si intrecciavano relazioni commerciali e finanziarie e la presenza di cittadini milanesi nelle attività varesine risultava sempre più frequente ed insistente; Varese non era più soltanto, senza dimenticare i benefici che gliene erano derivati, un luogo importante per il passaggio e la distribuzione dellee merci provenienti da Nord o dirette a Nord, ma perché era diventata a sua volta centro di produzione di merce di vario genere e il suo impianto artigianale cresceva e offriva prodotti che venivano apprezzati e largamente richiesti, come filati serici, carrozze, carta e presentava un'agricoltura che, attraverso il diretto controllo padronale esercitato dalle 'ville', tendeva a mostrare particolari caratteri di distinzione qualitativa". Di conseguenza "nella seconda metà del Settecento" era l'intero Varesotto a costituire "una realtà in piena evoluzione verso condizioni di vita apprezzabili ed apprezzate sotto l'aspetto civile, economico, culturale, intellettuale". In tale contesto emergeva anche il forte ruolo anche di città come Gallarate e Busto Arsizio che facevano concorrenza sul piano economico e industriale a Varese, specie nel settore del cotone. Non fu pertanto un caso se in quello scorcio di secolo Varese cominciò a manifestare una notevole coscienza delle proprie possibilità. In particolare ciò si verificò

nel decennio 1780-1790 in coincidenza con il governo dell'imperatore Giuseppe II che palesò un forte spirito riformatore. In realtà le cose non erano cominciate nel modo migliore. Giuseppe II aveva dato principio nel 1786 a una riforma amministrativa in base alla quale il territorio lombardo era stato suddiviso in otto Intendenze Politiche, organismi paragonabili alle attuali Province. Accanto a Milano, Cremona, Pavia, Como, Codogno e Bozzolo, in quel decisivo anno venne individuata anche la cittadina di Gallarate quale sede dell'Intendenza che avrebbe retto un territorio ancor più grande di quello che oggi cade sotto la Provincia di Varese. Per i Varesini fu un brutto colpo che venne ad aggiungersi ad un'altra decisione presa pochi mesi prima, quando in luglio era stata già concessa a Gallarate la potestà di diventare sede di una Camera Mercantile. C'era quindi nella testa delle autorità imperiali e milanesi un percorso tendente a fare di Gallarate, a scapito di Varese, il vero centro decisionale delle vicende relative all'economia e alla pubblica amministrazione. Se questo disegno fosse andato in porto per Varese sarebbe stata la fine delle proprie ambizioni, ma la città seppe reagire con fermezza e unità.
Il successivo 25 agosto, firmata dai più rappresentativi personggi dell'economia, era stata prontamente inoltrata una Petizione con la quale si rivendicava l'importanza del ruolo di Varese e si faceva capire con chiarezza che i Varesini non si sarebbero mai sentiti rappresentati da Gallarate. Seguirono altre iniziative e di conseguenza il 13 settembre 1787, a poco più di un anno di distanza, venne disposto il trasferimento dell'Intendenza Politica da Gallarate a Varese. Il 20 ottobre 1787 l'Intendente Politico Giacomo Battisti trasferì il suo ufficio a Varese e qui esercitò il suo potere nel breve triennio in cui questi nuovi organismi ebbero ancora vita. Come è noto, i successivi imperatori Leopoldo II e Francesco II adottarono una politica opposta a quella di Giuseppe II e tornarono a sostituire (1794) alle Intendenze Politiche le antiche Reggenze. Di conseguenza Varese tornò a essere una città come tutte le altre, importante punto di riferimento, ma senza un peso ufficiale nel controllo del territorio circostante. Si può comunque affermare che nacque in quei frangenti la prima consapevolezza del ruolo maggiore che la città poteva esercitare e di fatto il desiderio di essere alla testa di una Provincia non venne più meno.
Sembrò che queste speranze trovassero nuova linfa pochi anni dopo con l'inizio dell'avventura di Napoleone Bonaparte e l'inizio di un nuovo ordine politico e sociale in Lombardia. Dapprincipio anche i Francesi sembrarono rendersi conto dell'importanza di Varese per il controllo non solo del Varesotto, ma anche del vasto confine con la Svizzera. La città prealpina si trovò così posta alla testa del Dipartimento del Verbano, una sorta di nuova provincia che comprendeva gli stessi territori della precedente Intendenza Politica, anzi con un numero più elevato di comuni. Anche questa esperienza ebbe però una breve durata poiché nell'agosto del 1798 il numero dei Dipartimenti venne drasticamente ridotto per motivi di bilancio e Varese si venne a trovare all'interno del Dipartimento dell'Olona con a capo Milano.
Una successiva riforma istituì, con sede a Como, il Dipartimento del Lario nel quale vennero a confluire Varese e il Varesotto. Fu una decisione durissima, che scontentò tutta la popolazione locale, sia a motivo delle antiche rivalità storiche, sia per la circostanza che l'intera economia varesina era da sempre indirizzata verso Milano. Nacque il quel momento il pervicace disegno di staccarsi da Como e di lottare per la costituzione di una autonoma provincia varesina.

Il primo decennio dell'Ottocento fu un periodo di benessere e dapprincipio, con il ritorno degli Austriaci, sembrò che l'evoluzione intrapresa durante il periodo francese potesse proseguire senza particolari interruzioni. Tra gli anni quaranta e cinquanta, in concomitanza con il crescere delle tendenze autonomistiche legate al Risorgimento e le parallele misure repressive adottate dalla autorità, anche nell'economia e nella società varesina si manifestarono preoccupanti segnali di crisi. Ciò e l'assenza di un costruttivo dialogo con le autorità politiche spinse la classe dirigente varesina a una cauta scelta rivoluzionaria in favore della linea politica espressa da Cavour: passaggio della Lombardia, anche nella prospettiva dell'unione nazionale, sotto lo scettro dei Savoia, evitando quei sommovimenti popolari che avrebbero potuto mettere in discussione l'ordine sociale esistente. In sintesi Varese giunse all' appuntamento storico dell'Unità d'Italia con la piena consapevolezza dei propri mezzi e delle proprie ambizioni e si preparò a giocare in queste nuove condizioni la carta del suo definitivo sviluppo economico, industriale e sociale. In tale ambito si poneva ancora la questione dell'appartenenza alla provincia di Como che veniva sentita come limitativa e giustificata; sicché si creò la paradossale situazione di un'autonomia economica costretta a misurarsi quotidianamente con la mal sopportata burocrazia comasca. In tal senso si dovette incassare subito una prima cocente delusione. Cacciati a suon di fucilate gli Austriaci, i Varesini si rivolsero pochi mesi dopo a Vittorio Emanuele II chiedendogli il tanto sospirato riconoscimento amministrativo di capoluogo di Provincia. Fu opinione comune che il re avrebbe voluto aderire alla richiesta, ma in Parlamento prevalsero i timori dei ministri e deputati piemontesi che non volevano sul lago Maggiore una forte e autonoma provincia lombarda a scapito degli interessi di Novara. Pertanto venne confermata l'appartenenza di Varese all'interno della Provincia di Como.

Parlare di consapevolezza nel caso di processi storici complessi è in genere alquanto rischioso, ma è indubbio che a partire dal maggio 1859 i Varesini compresero che sarebbe stato illusorio attendersi da altri, in particolare dallo Stato, una qualsiasi forma di riconoscenza, oppure un qualche sostegno economico. Le condizioni finanziarie della nuova nazione erano peraltro rovinose. Da subito perciò si accinsero a fare tutto da soli, rischiando di tasca propria e supplendo lo Stato anche in quei compiti in cui il suo ruolo sarebbe stato almeno doveroso. Dobbiamo perciò registrare tutta una serie di iniziative che hanno l'obbiettivo di dare a Varese quei connotati che avrebbe avuto se i suoi desideri fossero stati esauditi. Pur essendo inseriti nella Provincia di Como, Varese e il suo Circondario si comporteranno come se fossero una provincia autonoma, muovendo passi in tutte le direzioni opportune, dal Parlamento agli Enti locali, sollecitando il sostegno e la collaborazione da parte di altre realtà territoriali. Frequente fu ad esempio il rapporto con Lecco, a sua volta scontenta della collocazione nella provincia di Como.
Il primo, significativo atto in questa direzione, peraltro funzionale al ruolo che si intendeva svolgere, fu la costituzione della Camera di Commercio (1863) che divenne in molte occasioni il vero strumento di governo dell'economia e degli interessi locali. Nel settembre 1865 ci fu l'inaugurazione della linea ferroviaria Varese-Gallarate che consentiva il collegamento da una parte con Milano e dall'altra con la Svizzera e l'Europa. Fu questa una vicenda emblematica dell'atteggiamento di autonomia assunto dai Varesini. Dopo aver invano sollecitato l'intervento dello Stato, la città decise di farsi interamente carico dei costi di costruzione. Nello stesso anno prese vita anche la Banca Popolare di Varese, alla quale nel 1872, e con risultati più significativi, si aggiunse la Banca di Varese di proprietà della famiglia Molina. L'intensa partecipazione, sin dal 1860, alle diverse Esposizioni agricole e industriali, il costante sforzo di dare vita a dei periodici settimanali, il generoso sostegno

alle attività scolastiche e di formazione professionale e numerose misure a carattere sociale, contribuirono a fare di Varese una città rinnovata e moderna. Fu questa anche la base per l'intensa opera di sviluppo del settore industriale. Non mancarono momenti di crisi, specie negli anni settanta, ma ben presto l'intero Varesotto finì per vantare aziende e produzioni di grande prestigio. Si andava dalle cartiere ai cotonifici e ai setifici; dalle carrozzerie alle fabbriche di terraglie e ceramiche; dalle conciarie alla produzione di dolciumi; e così via. Persino l'agricoltura e al suo interno alcune colture specializzate come la viticoltura, la frutticoltura e l'allevamento dei bachi da seta, dava dei buoni risultati. Si vennero così creando le condizioni per il decisivo e moderno sviluppo industriale di fine Ottocento e del Novecento. Dal quale al Varesotto derivarono altri primati, come quello delle produzioni aeronautiche, delle carrozzerie automobilistiche, delle industrie chimiche, delle fibre sintetiche e molte altre. Non è sbagliato sostenere che l'industria varesina fu alla base della grande efficienza raggiunta dal nostro esercito nel corso della Grande Guerra, contribuendo così alla storica vittoria del 1918. Ma nello stesso tempo si deve ricordare che da questo intenso sviluppo industriale derivò anche la formazione di un esteso proletariato e di tutta una serie di questioni sociali. Le quali a volte provocarono scioperi e agitazioni e a volte il raggiungimento di soddisfacenti accordi tesi a correggere gli aspetti negativi e comunque a migliorare le condizioni di vita della popolazione.
Può perciò sembrare quasi naturale la decisione assunta il 6 dicembre 1926 dal Consiglio dei Ministri, su proposta di Mussolini, con la quale si riconosceva il diritto di Varese di essere alla testa di una propria provincia. La complessità degli anni successivi, ai quali si sommarono spesso eventi che avevano una connotazione più internazionale che locale, fece sì che il processo di integrazione e consolidamento della nuova provincia, andasse avanti un po' a rilento e con qualche contraddizione. Tuttavia al termine del fascismo, esaltando lo spirito di collaborazione nato nel corso della guerra di Liberazione, il processo di sviluppo della Provincia di Varese venne ripreso con rinnovato e costruttivo spirito, dando importanti risultati in tutti i settori. Sono innumerevoli le volte in cui Varese e il suo territorio sono stati celebrati per le loro industrie, per lo sport, per l'arte e la letteratura, per la genialità di alcuni personaggi, finanche per qualche elemento di turismo. Ma, come si diceva all'inizio, al di là dei singoli casi e aspetti, è ancora insufficiente nel mondo il grado di conoscenza unitaria del "Valore Varese". Con questo volume gli autori si sono proposti di ovviare in qualche modo a questa situazione, grazie a un sintetico profilo storico e al linguaggio scenografico delle immagini che mostrano la straordinaria bellezza di questo territorio.

Varese and its Hinterland

It may seem strange in times like ours, when communications between one end of the Earth and the other are carried out rapidly and safely, but Varese and its hinterland still have to be advertised, to be introduced to the world. Bounded, and at the same time protected by the great lakes of Maggiore and Lugano and the two main rivers, Ticino and Olona, the Varese area appears as a special and sturdy wedge of pure metal set between Switzerland and Piemonte and the provinces of Milan and Como. As a result of ancient geological formations, and consequently historical and, later, social affiliations, Varese has close ties with all these areas, but the differences are great and significant enough to have produced a completely autonomous and unique archetype that has only become evident in recent years. The history and connotations of the Varese area, and certain districts in particular, have long been interwoven with the history of Milan and Como, as well as the area and culture of Lake Maggiore. Even Switzerland, whose cantons along the current frontier used to be one and the same with the Varese area until the 16th century, exerts a strange attraction based on job opportunities and certain customs. Remarkable and indomitable self-knowledge was needed to resist the enchanting song of so many sirens. Credit for this must be given to a close-knit band of men who fought long and hard in the last two centuries to achieve full recognition and autonomy for the Varese area. Their commitment led to the delineation of definite borders and the foundation of a socio-political body to govern the territory. Even in this, Varese today may seem to be swimming against the tide. Voices can be heard from all sides questioning the achievements and usefulness of the Provinces, but – we ask ourselves – if the Provinces had never existed, would Varese ever have been able to obtain administrative autonomy, let alone full recognition of its own region and appreciation of its history and civilisation? Without a body like the Province, the Varese area and its hard-working people would have remained forever confused with other areas that failed to represent them adequately; their history, a far cry from any coherent and comprehensive account, would still have been seen as a casual tangle of episodes of scant importance compared with the exploits of Communes and States that boast a grander tradition. Perhaps we should add that even today, barring a few significant exceptions in recent years, it is far from easy to find a valid group of scholars who work together on the history of Varese, although great credit is still given to studies and research into single "glories" that are already well known and fully documented.

Travelling northwards from Milan, beyond the plain of Gallarate and Tradate, the beginning of the Varese area is marked by a wide range of hills that slope to a large plateau where the city stands. It is surrounded by an evocative amphitheatre of mountains of varying heights, and the branching network of deep valleys, all hewn by the glaciers and often broken by substantial deposits of boulder clay, seem, with spectacular effect, to take us by the hand to lead us into the heart of the Alps.
What appears evident, from a geological standpoint, is a territorial continuity, a projection towards the mountain passes and the countries of north-west Europe, making Varese the first port of call and therefore a new starting point. Nature herself might well have dictated the terms for the development of

Varese and gradually the other towns in the district. And this gave wealth and strength to both because, if Varese has always been an irreplaceable rendezvous for neighbouring communities, then the Varese area has played the same role between the north and south of Western Europe, as well as in trade relations between the eastern and western regions of the Po Valley mountain network.
If Angera has the distinction of being the first settlement on Lake Maggiore, then Lake Varese must be acknowledged as the cradle of the first inhabitants of Varese. As Luigi Ambrosoli wrote: "Settlements in the Varese area became noticeably more numerous from the IV millennium B.C. During this period, around the lakes that today carry the names of Varese, Monate, Comabbio and Biandronno, and on the shores of Lake Maggiore, the first inhabitants built villages of stone and timber lake-dwellings covered with reeds held together by clay and coated with straw".
Important lake-dwellings have been identified around Lake Varese in Bardello, Cazzago Brabbia, Bodio and the Isolino island. This indicates that these settlers were hunters and fishermen and that they led a relatively tranquil life for several thousands of years, until the first Iron Age, which coincided with the arrival of new and bellicose tribes. So it was that between approximately 1000 and 500 B.C. "the inhabitants of the lake-dwellings were forced to leave the lakes and re-settle in the surrounding hills in positions that were easier to fortify and defend".
This statement by Luigi Ambrosoli, which coincides with historical data relating to urban development in the Varese area during the late Roman and subsequent periods, describes the conditions that led to the first historic centre of Varese, built beside the River Vellone, with other minor fortified settlements around it, primarily the Castellanze, which later became part of the city.
The Celts most certainly colonised the Varese area from the 5th century B.C., and the Insubri tribe gained control of the land that today lies in the provinces of Como and Varese and the Ticino canton. But it is difficult to determine a precise border because the Celtic tribes liked to move around according to their food requirements and their famous cult of freedom. This cult of freedom soon led to a clash between the Insubri tribe and the Roman legions. However, when Rome occupied Mediolanum (Milan) in 222 B.C., it marked a turning point in the history of the Insubri tribe, because from then on they gradually assimilated the laws, customs, religion and language of the Romans. As Renzo Dionigi wrote: "By granting Roman citizenship, Celtic customs vanished from social life, Roman law was established, and Gallic clientele, at least juridically, faded away. The Gallic élite *as well as the masses rapidly abandoned their own Celtic language for Latin".*

Archaeological finds reveal the great significance of Roman influence in Varese and surrounding areas, as for instance, the dense communications network, ports, markets, permanent settlements and, subsequently, defence works. Again according to Luigi Ambrosoli, "Until at least the IV century A.D., the Varese area was considered important for its urban development and the business activities that prompted the decision to build a passable road leading directly to Milan". It is an undisputed fact that from the latter centuries of Roman rule the plateau of Varese and the surrounding hills took on the appearance of a powerful stronghold, a comprehensive network of fortifications throughout the territory, intended, on the Vellone-Olona axis, to act as the first strong defence against invasions from the north-west towards Milan and the Po Valley.
The main bastion was the fortress of Santa Maria del Monte, which was closely connected to the fortifications of Velate that descended to Masnago and Casciago. Further protection was provided by the

tower on top of Mount San Francesco and the Castles of Orino and Frascarolo. The centre of Varese was also designed for defence, with fortifications that stretched from the Motta area to the park of Villa Mirabello. The whole was completed by the Belforte rampart, which, together with the towers at Biumo Superiore, Cascina Mentasti, Giubiano and Bosto, controlled the route towards Como and Seprio. Although the fortifications of Varese were active and running efficiently until the fall of the Roman Empire, its exclusively military role was gradually ceded to Castelseprio, especially following the arrival of the Longobards. When Castelseprio became the central point of military control over the so-called Seprio area, Varese had already decided to branch out and develop those aspects of civilisation and commerce already evident during Roman times. Whereas Castelseprio remained merely a fortress, and was for long periods uninhabited, Varese, where the fortifications were demolished and the valuable materials used to build houses and public buildings, attracted merchants and trade.

When it was first mentioned in a parchment dated 8th June 922, Varese had already enjoyed centuries of bustling civilian and commercial life, which pointed to an even brighter and more flourishing future. Furthermore, documents dating from the end of the X century refer explicity to the Varese market as an efficient place of trade and commerce that enjoyed a privileged position in the Lombardy area.
However, when the 1347 Statutes were drawn up, the complicated matter of city trade was dealt with in a systematic way, in full respect of the law and following stringent regulations. Luigi Borri was prompted to write: "The Varese Statutes... do not denote true municipal independence, but are merely proof of a ray of civil liberty". Thanks to the Statutes, we learn that at the time Varese was governed by a Deputy (later called Podestà), four Consuls, a General or Upper Council, and a smaller Lower Council, that had the casting vote in civic decisions and choices. But let us consider the "merchants" who traded at the Motta and in the town. The case in point concerns the sale of any merchandise, whether whole or in part, to someone who failed to pay the agreed sum promptly. The seller could appeal by a simple petition to the Deputy and the Consuls, and they were obliged to "summons" the defaulting buyer and make him pay immediately "without clamour and trial, nor charges of libel".
The importance of this rule is easy to see. It was a way of ensuring that the Varese market was governed by well-defined regulations and standards providing immediate and effective justice. There was no room for adventurers trying to profit from the countless dodges of the courts. Trading was an activity that happened in the light of day between people of good faith; if business proceeded swiftly and honestly, it was advantageous for the entire town, since vendors and customers could be sure of having their rights respected. The authorities endeavoured to ensure that disputes caused little or no backlash or commotion, and that they were settled in situ with the same simple formalities that regulate every act of trade.
It is clear that the Statutes afforded ample protection to the vendors, in order to encourage them to frequent the Varese market. This shows vested interest: the market benefited from the wealth, variety and quality of the goods that arrived, and the people of Varese benefited from the large number of vendors, given their own scant agricultural produce, and from the chance to increase the sales of the hand-made articles and tools produced by the numerous workshops. That is why, as Giuseppe Meazza wrote, the market of Varese "was frequented by merchants and customers who arrived not only from the plains, from Gallarate, Busto and Saronno, but also from the valleys of the Alpine foothills, as far away as the south Gotthard". Nevertheless, as Leopoldo Giampaolo suggests, its great fortune derived

from the fact that until the 5th century it was the only market in the Varese area. Therefore, anyone who wanted to buy varieties of wheat, dairy produce, fish and game, live animals, utensils, tools and fabrics, had to make his way to Varese.
The monopoly enjoyed by the people of Varese, which even obliged the residents of the parishes of Varese, Arcisate, Leggiuno and Cuvio to buy grain and rice only from the market at the Motta, ended only in recent times as a result of repeated pressure from other communities, to the particular advantage of Luino and Laveno.

Equally well known was the cattle fair, held during the first fortnight of October at the Motta market. The farmers of the Swiss Cantons and several German breeders regularly attended, bringing herds of oxen, bullocks, donkeys and horses. They satisfied the vast requirements of Lombardy where such farms were of little importance. In a matter of three or five days, at least two thousand head would be sold. The numbers of local buyers were swelled by the merchants arriving from the area north of Milan and various Po Valley cities as far distant as the Veneto region. Many wholesale merchants would acquire entire herds and then sell the butchered meat back to the land of origin.
It is therefore no surprise that during the Visconti rule Varese gradually gained economic independence from Milan. Relations between the "regents" of the town and the Visconti officials were marked by the utmost collaboration and trust, and the people of Varese did not hesitate to request preferential treatment and measures. The autonomy granted for supplies in 1370 was an achievement of no little importance for the market since it freed Varese from the decisions of Milanese officials.

A decisive turning-point followed the complex events that incorporated the Lombard regions of the present-day Ticino Canton into Switzerland and the subsequent "permanent peace" treaty of Freiburg (1516), as a result of which the Swiss Alliance appropriated Locarno, the Maggia valley, Lugano and Mendrisio. Varese suddenly became a borderland, and, as Marina Cavallera wrote, from that moment on it was "one of the State's few trade centres with authorisation to sell foodstuffs to neighbouring countries". It was imperative to maintain good relations not only for that reason, but also to continue to ensure the purchase of Swiss cattle that enhanced the annual fair. The agreement with the Swiss actually stated that they could buy only "modest" amounts of grain and other goods in Varese, "modest" meaning quantities sufficient for personal use. This was a way of ensuring that grain, pulses, rice, wine and other agricultural produce from the Milan area would not be re-sold at a profit on other markets. This was a purely political move on the part of the authorities to prevent the Swiss from benefiting from such trading, or imposing their will on Milan.
Many games were played around the grain trade, and not without contradictions. The people of Varese did not much care about political concerns and the terms of treaties: if they had grain to trade, they wanted to be free to sell it to whomever offered the best price. A clash was therefore inevitable between Varese and Milan, between farmers and merchants on the one hand and political authorities on the other, and between the Swiss and the Lombards, which often ended in violence and led to a considerable increase in smuggling.
Marina Cavallera also writes that in 1533, as a result of the famine that threatened the local population, the authorities "were obliged to take precautions against the indiscriminate export of wheat". A monthly quantity of 500 some was established, to be traded only on the markets of Varese, Como,

Lecco and Intra (alternating with Pallanza). So, in one way or another, these were good years for trading in Varese, and if the local countryside had lean harvests, wheat was procured elsewhere. The precious commodity was transported from all regions to the city in the foothills, and from there was sent northwards.

For various reasons the 18th century was considered definitely more favourable to economic initiatives and the social conditions of the people of Varese. In the space of a hundred years, important historical events had happened or were underway. The treaty of Utrecht established the terms whereby Lombardy passed from the Spanish to the Austrian crown. As Luigi Ambrosoli aptly summed up: "Austrian rule in Lombardy had the merit of fairness and political and administrative logic compared with the misgovernment of Madrid; important State reforms were implemented, but in the restoration years following the fall of Napoleon, intransigent and often cruel measures were taken to suppress the liberal and national aspirations of Italian subjects".

In truth, for most of the century nothing seemed to change for the people of Varese, whose economy continued to revolve around the market, agriculture, handicrafts and the resident rich noble families and high officials of the new imperial governement. These results were in keeping with the social and economic development that had begun in the previous century. There was an increase in the number of people involved in the professions, commerce and handicrafts, who constituted a rich and enterprising middle class that conducted business in Milan and the Po Valley as well as in Switzerland and central Europe, Piedmonte, neighbouring French regions, Austria and middle eastern Europe. This bourgeoisie, supported by the oldest and noblest city families, ran their "shops" with great latitude and often a sense of audacity.

This special and privileged condition has to be taken into account when searching for the motivations behind the great manufacturing initiatives of the second half of the century. The determining factor was the link between those professional and craftsmen's skills gained over centuries of constant activity, the considerable capital amassed from the extraordinary on-going business of trade, the custom of negotiating with merchants from other regions and nations, and the network of acquaintances and interests firmly entrenched in distant lands. The distinctive pattern that emerges is that, in the case of Varese, the accent should not so much be placed on a plentiful and generic work force, as on the training and strengthening of a large class of entrepreneurs with suitable grounding in trade, and a rich reservoir of highly skilled craftsmen willing to seize new and extraordinary opportunities for work and growth. At the same time, thanks to the increasing trend of holidaying in Varese and the new and magnificent villas that were built, the city acquired renown as a garden city, or "the Versailles of Milan", as it was once dubbed. This led to a series of forcible measures aimed at improving the appearance of the town and the condition of roads, houses and shops.

The most note-worthy exponent of the new spirit of Varese was Francesco III d'Este who came to know and appreciate the pre-Alpine city during his Regency in Milan, choosing it as his residence and becoming Seigneur. One of his first undertakings in March 1766 was to buy the land where he intended to build the Villa d'Este.

The complex negotiations involved in enfeoffing Varese for Francesco III d'Este provide an initial and general evaluation of the economy of the city in the mid-18th century. In 1765, Varese was the chief town of a parish of 25 communities and, excepting secular and regular clergy, had a population of

5,743, of which only 2,357 were residents of the town. The remainder was spread between the fortresses of Biumo Superiore and Inferiore, Casbeno, Cartabbia, Giubiano, Bosto and Cascina Mentasti. The town's inclination for trade was judged highly favourable, since it was only 8 miles from Lake Lugano and twelve from Lake Maggiore. Agricultural goods exported ranged from wheat products to "good quality wine". Pride of place, however, went to silk, since, it was recorded, "besides the merchants, there is no one with a little capital who does not try to invest it in cocoons to spin a profit". Part of the silk was used in the town's factories to produce "braid for vestments, sendals and handkerchiefs". The braids were mainly marketed in Como and Milan, whereas the sendals and handkerchiefs went to Lugano and Lake Maggiore (and thence to the Kingdom of Savoy). Products that remained were entrusted, at the owner's risk, to merchants who tried to sell them on the markets of Zurich, Basel and Lyons. There were two such merchant families in Varese: the Casa de' Conti Sacchi of Lyons and the Adamoli family. The former was extremely wealthy, while the latter had only recently come into a small fortune.

A secret judicial inquiry *revealed that Varese was sound and healthy, and this was an additional incentive to Francesco III to accept the role of Seigneur. According to several scholars, for example Luigi Brambilla, "Francesco III considered Varese more as a place for recreation than a dominion, and his life here is portrayed in popular legend as always being pleasant. Tales recount the splendid feasts, the sumptuous banquets held in his palace, still known as the Court, to which numerous citizens were invited. The memory still lives on of the endless games in which he deliberately lost huge sums of money in order to ingratiate himself with the other players; the tricks played by certain shopkeepers to double their profits on goods they supplied, to which he turned a blind eye as though he enjoyed the chance to spend lavishly. Still remembered are the intrigues of ladies-in-waiting that so offended the honest souls of our ancestors; the paths the Duke frequented merely to enjoy congenial company; the names of certain favourites are still whispered. But if legend, albeit magnified, recounts all these tales, it also tells of the villas built or embellished then, the languishing trade restored by new sources of finance, the effective regulations governing hygiene and town administration. All this justifies the gratitude shown on various occasions by the people of Varese to the Duke, even though at the beginning they strove to avoid having him as Seigneur".*

The opinion of other scholars like Luigi Zanzi, Gian Franco Garancini and Luigi Ambrosoli differ. According to them, the rule of Francesco III reinforced the unique aspect of Varese, which is generally known as the "Civilisation of Villas". Once again, we quote Luigi Ambrosoli as evidence that "Civilisation of Villas" does not only mean a wise and spectacular use of the land to the advantage of a few, select families, but it represents the beginning of an important and modern modification of the economic fabric that contributed in no small way to the subsequent industrial development: "Varese was in a privileged position, not only because of its renown as the Versailles of Milan, but also because of the commercial and financial links between Varese and Milan, and the ever-increasing number of Milanese citizens involved in businesses in Varese. Varese was no longer merely an important place for the transit and distribution of goods from or to the North, though the benefits gained should not be forgotten. It had become the production centre of a variety of goods in its own right, and its handicrafts were developing and offering much appreciated and widely demanded products, such as silks, carriages and paper, and its agriculture, thanks to the influence of the owners of the "villas", began to show signs of distinctive quality." Consequently, in the second half of the 18th century the whole of the Varese area was "evolving towards a remarkable and worthwhile life-style from a civil, economic, cultural and intellectual point of view". It was in this context that cities like Gallarate and Busto Arsizio came to the fore, and competed on an economic and industrial level with Varese, especially in the cotton sector.

It was no coincidence that Varese began to show considerable awareness of its own facilities towards the end of the century. This was particularly evident between 1780 and 1790 when the Imperial government of Giuseppe II demonstrated a strong reforming zeal. Things did not begin well. In 1786, Giuseppe II had set in motion an administrative reform, according to which Lombardy was subdivided into eight Political Intendancies, organisations similar to today's Provinces. In addition to Milan, Cremona, Pavia, Como, Codogno and Bozzolo, the town of Gallarate was assigned as the seat of the Intendancy governing an even greater area than the one that today comprises the Province of Varese. It was a great blow for the people of Varese, especially in view of another decision made a few months previously, in the July, when Gallarate had been granted the power to become the seat of a Board of Trade. A course of action was already being mulled over by the imperial and Milanese authorities to make Gallarate, at the expense of Varese, the real centre for decision-making concerning the economy and the civil service. If this plan had been successful, it would have been the end of Varese's ambitions, but the city united and responded resolutely.
On 25th August, a Petition was signed and sent by the most important people involved in the economy. It vindicated the importance of the role of Varese and clearly stated that the people of Varese would never agree to being represented by Gallarate. Other initiatives followed, and a little over a year later, on 13th September 1787, the Political Intendancy was transferred from Gallarate to Varese. On 20th October 1787, the Political Intendant, Giacomo Battisti, transferred his office to Varese and remained in power until three years later when Emperors Leopold II and Francesco II reversed Giuseppe II's policy and abolished the Political Intendancies in favour of reinstating the old Regencies. Consequently, Varese became a city like the others, an important rendezvous, but devoid of official influence over the surrounding territory. It was that predicament that initially made Varese aware of the fuller role the city could play, and the desire to lead a Province never abated.
These hopes were revitalised a few years later when Napoleon Bonaparte's exploits led to the beginning of a new political and social order in Lombardy. The French also seemed to understand the importance of Varese as the controlling power not only in the Varese area, but also along the extensive border with Switzerland. The city of Varese was therefore given sway over the Verbano District (Lake Maggiore), a kind of new province that comprised the same areas as the previous Political Intendancy, but encompassing more communes. This episode was short-lived, however, because in August 1798 the number of Districts was radically reduced owing to budgetary problems, and Varese was assimilated into the Olona District governed by Milan.
A further reform established the Lario District (Lake Como), with headquarters in Como, which incorporated Varese and the surrounding area. It was an unpopular decision that displeased the entire local population, whether because of the ancient rivalry between the two cities, or the fact that the economy of Varese had always been completely orientated towards Milan. It was then that the scheme was conceived to break away from Como and fight for an autonomous Province of Varese.

The first decade of the 19th century was a time of well-being, and when the Austrians returned, it seemed at first that the development attained during the French rule would continue unhindered.

Between 1840 and 1850, the Risorgimento encouraged the desire for autonomy, and with it the repressive measures of the authorities, and the economy and society of Varese showed worrying signs of a slump. That and the lack of constructive dialogue with political powers spurred Varese's ruling class to flirt with the revolutionary ideas expressed by Cavour: the inclusion of Lombardy in the Kingdom of Savoy, despite the prospect of national unity, thus avoiding those popular uprisings that would have upset the existing social order. In short, at the time of the Unification of Italy, Varese was fully aware of its means and ambitions, and prepared to play its trump card to ensure once and for all the economic, industrial and social development of the city. The issue of belonging to the province of Como also arose in that context. It was seen as a restriction and a justification, and therefore created a paradoxical situation whereby economic autonomy was obliged to contend constantly with the barely tolerated bureaucracy of Como.

The result of this was an immediate and bitter disappointment. Having sent the Austrians packing, the people of Varese approached Victor Emmanuel II a few months later to request the eagerly awaited recognition as chief town of the Province. It was commonly held that the King would accede to the request, but what prevailed in Parliament were the misgivings of ministers and deputies from Piemonte who were opposed to a strong and autonomous Lombard province on Lake Maggiore to the detriment of Novara. Meanwhile, the inclusion of Varese within the Province of Como was confirmed. It is always a little risky to speak of awareness when dealing with complex historical events, but it is clear that, as of May 1859, the people of Varese realised that it was pointless to expect any kind of recognition from anyone, and especially from the State, or any form of economic support. The financial situation of the new nation was, moreover, disastrous. So the people of Varese set about doing everything themselves, risking their own livelihoods and substituting for the State even in matters it was duty-bound to act upon. We must therefore record a series of initiatives aimed at conferring on Varese those characteristics it would have had if its requests had been granted. Even though Varese and district were part of the Province of Como, the people behaved as if they were an independent province, putting out feelers in all suitable directions, from Parliament to local boards, petitioning for support and collaboration from other areas. There was frequent contact with Lecco for instance, since that city was also unhappy at being relegated to the province of Como.

The first important step towards achieving their goal was the founding in 1863 of the Chamber of Commerce, which became on many occasions instrumental to the workings of the economy and local interests. In September 1865, the Varese-Gallarate railway line was inaugurated, connecting to Milan on one side and Switzerland and Europe on the other. This was a typical example of the independent attitude of the people of Varese. After vainly pressing for State intervention, the city decided to shoulder the entire cost of building the line. That same year, the Banca Popolare di Varese was founded, and then in 1872, with remarkable results, the Banca di Varese owned by the Molina family. Varese became an up-to-date, modern city thanks to its vigorous participation from 1860 onwards in the various agricultural and industrial Expositions, its constant efforts to produce weekly magazines, its generous support of education and professional training, and numerous social improvements. It also accounted for the great development in industry. There were also difficult times, especially in the 1870s, but it was not long before the entire Varese area could boast highly acclaimed businesses and factories ranging from paper, cotton and silk mills to coachworks, pottery and ceramics factories, to leather tanning and confectionary, and so on. Excellent results were also obtained from agriculture, and the specialised branches of vine-growing, fruit-farming and the breeding of silk worms. The ideal conditions were thus created for the crucial and modern industrial development of the late 19th and 20th centuries. Varese became a leading light in the manufacture of aeronautics, cars, chemicals, synthetic fibres and many others. The industry of Varese can rightly claim to be at the heart of the great success of our army during World War I, thus contributing to the victory of 1918. But at the same time, it must be remembered that this intensive industrial development also created a vast working class and a number of social problems, which at times resulted in strikes and unrest, and occasionally in satisfactory agreements geared to correcting negative aspects and improving the population's life-style.

It may almost seem a natural consequence therefore that a decision was taken on 6th December 1926 by the Council of Ministers, after a proposal by Mussolini, to recognise Varese's right to head its own province. The complex events of the following years and the issues that had international rather than local connotations, slowed down the integration and consolidation of the new province and resulted in a certain amount of conflict. Nevertheless, the fall of Fascism roused the spirit of collaboration that had been kindled during the war of liberation, and the development of the Province of Varese was resumed with a revived and constructive attitude that produced significant results in all sectors. Varese and its hinterland have been acclaimed many times for the industries, sport, art and literature, the originality of certain personages, and even tourism to some extent. But, as was stated at the beginning, above and beyond individual places and sights, too little is known in the outside world about the "Value of Varese". The authors of this book have attempted to remedy the situation by providing a concise historical outline and spectacular pictures that show the breath-taking beauty of this region.

È un'autentica sinfonia di colori quella che contraddistingue la terra varesina in tutte le stagioni. Da qualche anno il candido nitore della neve si è fatto raro e di conseguenza hanno assunto un grande valore, carico di nostalgia, le immagini del passato. Comunque qualche spruzzata di neve sulle alture più elevate, specie verso Natale, non manca mai dando al paesaggio circostante un tono fiabesco che ben si sposa con la particolare atmosfera delle feste. Speciali sono i mesi dell'autunno (e talvolta della tarda estate) poiché la grande varietà dei boschi e delle piante crea un intreccio di colori forti e di variegate tonalità che si muovono tra il rosso, il giallo, il marrone, il verde cupo, il nero ferruginoso, il grigio e il viola. A volte sembra che la stessa natura si confonda, creando nelle foglie dei misteriosi intrecci che sorprendono persino l'umana fantasia. Il verde, e il verde non manca mai nel Varesotto, è il colore dominante dell'estate, ma non c'è mai un verde eguale all'altro a causa del continuo nascere, rinnovarsi e maturare delle foglie. Se poi si giunge in una radura si ha la certezza di scorgere all'improvviso un cespuglio o un gruppo di bacche, ora gialli e ora rossi, che ci fanno sognare lontani paradisi. La primavera resta il regno dei fiori. Alberi, cespugli, steli, bacche, radure, rocce, picchi inaccessibili: i fiori dai mille colori e dalle mille forme tornano in vita dovunque e preparano giorni colmi di profumi, di frutti, di sogni e speranze. È il trionfo della vita, è il regno dell'abbondanza, è la gioia che trabocca dal cuore degli uomini tornati fanciulli e innocenti.

An authentic symphony of colours characterises the Varese countryside in all seasons. In recent years, the bright whiteness of snow has become a rare sight, and consequently, great and nostalgic value has been attached to the images of the past. Falls of snow on the highest hills, especially towards Christmas, never fail to give the surrounding landscape a fairy-tale appearance, which goes well with the unique festive atmosphere. Autumn (and at times late summer) months are special because the great variety of woods and plants creates an interweaving of bright colours and variegated hues that swing from red to yellow, to brown, dark green, iron-black, grey and purple. At times, it seems that nature itself is muddled, creating mysterious blends of leaves that astonish even man's imagination. Green, a shade that is never lacking in the Varese area, is the dominant colour of summer, but no green is ever alike because of the constant budding, renewal and burgeoning of the leaves. If you then come across a glade, you are certain suddenly to spot a bush or a cluster of berries, some yellow, some red, that make us dream of distant paradises. Spring is when flowers reign supreme. Trees, shrubs, stems, berries, glades, rocks, inaccessible peaks: flowers in a myriad of colours and shapes blossom everywhere and make the days redolent of scents, fruit, dreams and hopes. It is the triumph of life, the kingdom of abundance, the joy that swells the heart of men and women become once more young and innocent.

magia del varesotto

the magic of the varese area

Cara, dolce Varese. Milano è immensa e ricca di storia in tutti i più nobili campi dell'umana attività; Como ci appare forte e severa; Lugano è linda e civettuola ma anche troppo lineare e talvolta prevedibile; Busto Arsizio, Gallarate e Saronno conservano l'acre profumo del lavoro e della sobrietà; Novara e Verbania mostrano con orgoglio i propri gioielli. E Varese? Non ha niente di tutto ciò e nello stesso tempo di tutto ciò ha quel poco che basta, ma tutto è così diverso, iridescente, sorprendente che ogni giorno si fa fatica a comprendere quale sia il vestito che più le si attaglia. È ancora contadina, quel tanto che basta, ma è anche artigiana e bottegaia, industriosa e turistica, con un pizzico di arte qua e la, ma nessuno può dire "sono io la vera Varese" e nessuno può innalzare la propria bandiera più in alto degli altri. Non è grande, ma non è neppure piccina, si confonde con i borghi, con i monti e le valli, persino con i laghi, ma nessuno osa protestare, rivendicare la propria autonomia. Tutti si sentono parte del suo respiro ed a volte persino le nubi del cielo, ora rosa pastello, ora rosso fuoco, spesso bianche in campo azzurro, le creano attorno un suggestivo alone che fa nascere nell'anima mille suggestioni ed emozioni. Persino l'arcobaleno ha sempre un colore in più e il suo arco scavalca le profonde valli congiungendo pianura e vette nel medesimo destino. Le passeggiate lungo il suo Corso sono brevi, eppure non finiscono mai, mentre le vetrine degli storici negozi e i portoni delle lussureggianti ville mettono in comunicazione le innumerevoli generazioni che qui hanno vissuto e lasciato il rimpianto per le cose belle della vita. Varese è Varese e per questo la si ama con tutte le sue contraddizioni, in fondo senza sapere perché, per un'abitudine e per una passione, per una necessità precisa come per riempire il vuoto dell'esistenza, così come succede con la vita che viene vissuta ed è inutile chiedersi perché.

Dear, sweet Varese. Milan is huge and historically rich in all the noblest fields of human endeavour; Como appears strong and stern; Lugano is spick-and-span and pretty, but too linear and at times predictable; Busto Arsizio, Gallarate and Saronno retain the sour smell of work and sobriety; Novara and Verbania show off their jewels with pride. And Varese? Varese has none of these characteristics, yet at the same time has just enough of them all, yet everything is so different, so iridescent, so surprising, that on any given day it is hard to understand which mantle fits best. It is still sufficiently rural, but it is also rich in crafts, shops, industries and tourism, with a pinch of art here and there, but none can say "I am the true Varese", and none can raise its own standard higher than another. It is neither large nor small; it blends with the villages, the mountains and valleys, even with the lakes, but none dares to protest, to claim its own independence. All feel part of its atmosphere, and at times even the clouds in the sky, now soft pink, now fiery red, often white on a blue backcloth, create a suggestive aura that fill the soul with a thousand images and emotions. Even rainbows have an extra colour, and their arcs span the deep valleys to link plain and peaks in a single destiny. Walks along the Corso are short, or seem never to end, while the windows of the historic shops and the doors of rich villas connect the countless generations that have lived here and left a nostalgia for the good things in life. Varese is Varese, and this is the reason it is, with all its contradictions, so beloved, without, when all is said and done, knowing quite why, whether out of habit or passion, or because of a precise need like filling the emptiness of existence, as happens with life, and it is pointless to question it.

varese

varese

manu bijoux
Perle Perline
& Bijoux
SWAROVSKI
VENDITA MATERIALI
CORSI DI BIGIOTTERIA
Via Lazio, 39 - VARESE
Tel. 0332 262824 - Cell. 338 4588486

SAGRA DEI
BRINZIO 1-2-3
WWW.CORNI

BOSSI
IMMOBILIARE

CRISTIANO

Quale struggente visione dall'alto delle colline che ne circondano l'intero perimetro! Il lago ci appare come una piccola, argentea bomboniera che si vorrebbe conservare intatta al pari di un prezioso tesoro. Il cuore non si sbaglia e per una volta si trova d'accordo con la ragione. È davvero un tesoro quel susseguirsi di rive cosparse di borghi, di rotte ormai dimenticate, di grida gioiose che si rincorrevano tra i canneti e le ninfee, quel nitido specchio di acque creato dalla natura per consentire al Monte Rosa di specchiarsi riverberando il nitore dei suoi ghiacciai e, sul far della sera, il rosa delle rocce. Dall'alto tutto ci appare come se, per un misterioso sortilegio, il divenire si fosse fermato al tempo delle graziose ninfe che giocavano con le onde, ma spesso queste belle visioni si rinnovano anche quando ci si inoltra lungo i sentieri e le strade che segnano le rive e dove si possono scoprire gli innumerevoli segni di affetto con cui gli uomini hanno voluto dimostrare il proprio amore al lago. C'è una storia, c'è una civiltà lungo il lago di Varese che non ha eguali in nessuna parte di Lombardia; una storia e una civiltà che sopravvivono in minuscoli segni sommersi dalle acque, ma soprattutto nei gesti e nei volti delle persone che di lago vivono. Quando al mattino le nebbie, alito di drago, cominciano a diradarsi creando un sottile gioco di luce nel quale c'è continuità persino tra fantasia e realtà, per brevi, sfuggenti attimi sembra di scorgere delle figure, delle persone?, delle anime?, che sostano sul confine tra terra e acqua, perse nei loro pensieri. Un'altra brezza di nebbia, uno strale di luce ed ecco che agli occhi attoniti appare solo il lento sciabordio delle onde.

What a poignant sight from the top of the hills that encircle the whole circumference! The lake appears as a small, silver sweet-box to be kept intact like the most precious of treasures. The heart is not wrong, and for once agrees with reason. And a treasure indeed is the succession of shores scattered with villages, with now forgotten pathways, with joyful cries that echoed through the reeds and water lilies, that clear looking-glass of water created by nature so that the Monte Rosa could be mirrored and reflect the brightness of its glaciers, and, at dusk, the pink of the rocks. From on high, everything looks as if time was stopped by some mysterious spell in the days when nymphs played with the waves, but often these lovely images are conjured up just by walking along the paths and lanes that line the shores and where countless signs can be found that demonstrate man's love of the lake. There is a history, a civilisation around Lake Varese that has no equal anywhere in Lombardy; a history and a civilisation that survive in minute signs submerged by the waters, but above all in the gestures and faces of the people who live off the lake. When the dragon's breaths of morning mists begin to thin, creating a subtle play of light where fantasy and reality blur together, for a brief, fleeting moment you can almost glimpse figures, people? souls? that pause on the edge of land and water, lost in their thoughts. Another gust of mist, a shaft of light, and there, before astonished eyes, is only the slow lapping of the waves.

il gran tour del lago di varese

the grand tour of lake varese

Una delle principali caratteristiche del Varesotto è data dalle sue valli quasi sempre prossime a un lago e quasi sempre di origine glaciale. Un aspetto del paesaggio questo che trova la sua massima esaltazione nella Valganna con la sua forma concava e arrotondata, le sue morene e due laghetti che ne occupano ancora la parte più bassa. Per secoli le comunicazioni tra una valle e l'altra sono state difficili e ciò ha influito molto sulla storia e le abitudini delle popolazioni che, in effetti, ancora oggi mostrano notevoli differenze tra loro anche sul piano economico. Chiunque percorra la Valganna o la Valceresio, la Valcuvia o la Valtravaglia, la Val Marchirolo o la Val Dumentina, non potrà mai raccontare di aver trovato due cose uguali, ma dovunque incontrerà importanti segni di cultura e civiltà. Il turista che percorre queste valli avrà la ventura di scoprire innumerevoli testimonianze d'arte, in particolare romaniche, che sinora sono state poco studiate dagli esperti. Ma è lo sport, specialmente il ciclismo, che ha dato la maggior fama a queste valli. C'è una classica, la Tre Valli Varesine, che ogni anno vede la partecipazione di tanti assi del pedale. Lo spettacolo più bello è comunque dato dalle innumerevoli frotte di appassionati che tra la primavera e l'autunno, specie tra sabato e domenica, sudano lungo le salite o sfrecciano lungo le discese. È un'esplosione di colori, di forza, di voglia di vivere che anima strade e borghi, la testimonianza di uno stile di vita che fa tutt'uno con la bellezza del paesaggio e l'integrità della natura.

One of the Varese area's main characteristics is the valleys that almost always lie close to a lake and which are usually of glacial origin. The most magnificent example of this particular feature of the landscape is the Valganna, with its hollows and curves, its moraines and the two lakes set in the valley bottom. Communications between one valley and another were for centuries fraught with difficulties, and this greatly influenced the history and the customs of the populations, which even today differ one from the other, not least on an economical level. Visitors to the valleys, whether the Valganna, the Valceresio, the Valcuvia, the Valtravaglia, the Val Marchirolo or the Val Dumentina, will never come across two identical sights, and will find important signs of culture and civilisation everywhere. Tourists will stumble on countless artworks, especially Romanesque, that until now have received scant attention from experts. But it is sport, and particularly cycle racing, that has made these valleys famous. The most renowned race is the annual Tre Valli Varesine (the Three Varese Valleys), in which many ace cyclists take part. It is a fine sight to see the throngs of enthusiasts on Saturdays and Sundays from spring to autumn as they sweat their way uphill or streak downhill. It is an explosion of colours, vigour and zest for life that animates streets and towns; an insight into a life-style that blends with the beauty of the landscape and untainted nature.

il circuito delle valli

a round-trip of the valleys

PROVINCIA
di VARESE

17
LA PARTENZA DELL'EMIGRANTE
GIUSEPPE MIGNECO

Il Varesotto è una terra ricca di "luoghi d'arte". Si può passare dalla Rocca di Angera al Castello di Somma Lombardo o di Cislago; da Santa Caterina del Sasso al Santuario di Saronno o a quello di Santa Maria in Piazza di Busto Arsizio; da Castiglione Olona a Castel Seprio con Torba; dal romanico luinese a quello di Gallarate; dagli affreschi di Santa Maria Foris Portas a quelli a cielo aperto di Arcumeggia, dal Liberty del Campo dei Fiori a quello della Birreria Poretti. Può essere un viaggio infinito quello nell'arte del territorio varesino poiché non c'è luogo, anche minuscolo, che non abbia conservato traccia di una civiltà che giunge da molto lontano e che è stata caratterizzata da popoli e gusti molto diversi. Un'arte che in gran parte dev'essere ancora studiata e conosciuta, ma che è già capace di offrire emozioni indimenticabili ai visitatori. Anche il percorso di musei, pinacoteche e biblioteche si va arricchendo e perfezionando e così si dà a ogni città o paese un motivo di curiosità in più. Nel Varesotto c'è bisogno della riscoperta dei valori artistici e con essi delle tradizioni poiché entrambi, spesso collegati, hanno uno straordinario potere unificante per le comunità che ne sono depositari. E per una terra come questa che viene da sempre percorsa da "migrazioni" è quanto mai essenziale scoprire l'orgoglio delle radici che si sono sovrapposte le une alle altre nel tempo.

The Varese area is full of "artistic spots". They range from the Fortress of Angera to the Castles of Somma Lombardo and Cislago; from Santa Caterina del Sasso to the Sanctuary at Saronno to Santa Maria in Piazza in Busto Arsizio; from Castiglione Olona to Castel Seprio and the Sanctuary of Torba; from the Romanesque of Luino to that of Gallarate; from the frescoes of Santa Maria Foris Portas to the open-air frescoes at Arcumeggia; from the Art-Nouveau of the Campo dei Fiori to the Poretti Brewery. Travelling the art circuit in the Varese area could well be a journey without end, because there is no place, however small, where traces of a distant civilization are not preserved and which has been characterised by very different peoples and tastes. It is an art that still, to a great extent, has to be studied and understood, but which is yet an unforgettably thrilling experience for visitors. Even museums, art galleries and libraries are being enriched and improved so that each city or town has an additional attraction. Artistic values and traditions have to be rediscovered in the Varese area because they are often connected and both have the unique power of unifying the communities that possess them. And for a region like this, which has always seen "migrations", it is increasingly essential to identify a pride in those roots that have overlapped over the centuries.

tesori d'arte

art treasures

Parola di Stendhal: non si può essere felici senza avere visto il Lago Maggiore. Come non credergli dopo che egli aveva avuto la ventura di visitare tutti gli altri grandi laghi? La parte varesina del Maggiore, a causa del titolo di un fortunato libro di leggende, si è ormai conquistata il nome di "sponda magra" e invano gli operatori turistici oggi cercano di sostituirlo con denominazioni più vezzose e di moda. Ma accettiamolo pure questo "sponda magra" poiché in fondo ben rende la verginità di molti luoghi e la semplicità di altri; poiché anche le città e i borghi non hanno ancora ceduto alle sirene del consumismo e dell'edilizia a tutti i costi. Che restino al loro posto i porticcioli, le scalinate, le viuzze strette e tortuose, i palazzi porticati, le case di pietra, le insegne in ferro battuto! Vittorio Sereni si era battuto con vigore contro il progetto di un mostruoso ponte che avrebbe dovuto collegare Laveno con Intra. Fedeli allo spirito del poeta noi dobbiamo continuare a lottare affinché con i battelli sopravvivano tutte le testimonianze di un mondo che viene da lontano, che ha alle spalle una storia, una tradizione, uno spirito. E così continueremo a percorrerlo tutto, a piedi e in barca, questo lago Maggiore che non cessa mai di sorprenderci con le sue profonde differenze e con la sua generosità.

In the words of Stendhal: you cannot be happy unless you have seen Lake Maggiore. How can you fail to believe one who was lucky enough to visit all the other great lakes? The Varese side of Lake Maggiore has been dubbed "the poor shore" after the title of a popular book of legends, and nowadays tour operators try in vain to replace it with more attractive and more fashionable names. But let us accept this "poor shore" since after all it reflects the virgin state of many places and the simplicity of others, because even the cities and towns are still resisting the siren calls of consumerism and construction at all costs. May they stay as they are, those small harbours, the steps, the narrow twisting alleys, the arcaded palaces, the stone houses, the wrought-iron signs! Vittorio Sereni fought long and hard against the plans for a monstrous bridge to connect Laveno and Intra. Keeping faith with the poet's spirit, we must continue to fight so that the boats survive to keep alive all the traces of a far-off world, one that has a history, a tradition, a soul. And in that way, we shall continue, on foot or by boat, to enjoy this Lake Maggiore that never ceases to surprise us with its vast differences and its generosity.

lago maggiore

lake maggiore

REAL MOTORS
LAND CRUISER
ZA
338 PB

CAFFE'
CLERICI
NOLEGGIO

WC

Scavate dai ghiacciai, le profonde valli varesine sono state abitate da appena un migliaio di anni, dopo una dura lotta contro le difficoltà ambientali. Qui, specie sulle montagne circostanti, è possibile trovare ancora villaggi costruiti in pietra e strade fatte con i sassi; cappelle e chiesuole, spesso affrescate, che parlano di miracoli e devozione; sentieri che oggi sembrano perdersi nel nulla, ma che erano funzionali alle attività del bosco e della pastorizia e che svelano sempre paesaggi mozzafiato. Con grande sorpresa ogni tanto si scopre che la vita sta tornando in queste vecchie baite dove incredibili personaggi e intere famigliole hanno deciso di sfuggire le insidie delle città e vivere a contatto con la natura. Era e rimane una vita di fatica quella dell'alpigiano e fatica richiede anche al turista che vuole conoscere quel mondo, provando l'emozione di un viaggio attraverso i segni più semplici ed essenziali dell'esistenza. Sono impagabili i momenti di felicità che così si possono vivere. Tra valli e monti anche la sublime arte della cucina ha conservato il gusto e il profumo di un tempo. Dai camini con il fumo leggero della legna esce la fragranza della polenta che cuoce lentamente nel paiolo di rame, mentre dalle finestre si diffonde invitante il sentore dello stufato o del bottaggio. Quaggiù sopravvivono anche mestieri e arti che tutti consideravano smarriti nella memoria, mentre al mattino e alla sera si snoda la processione dei nonni che si recano nel bosco e nei prati e ne tornano con i corbelli colmi di odorose erbe e saporiti frutti. Piccoli gesti che equivalgono a grandi conquiste della vita.

Hewn from the glaciers, the deep valleys of the Varese area have been inhabited for only about a thousand years, following a hard battle against environmental problems. Here, and especially in the surrounding mountains, it is still possible to find villages and roads built from stone; chapels and small churches, often frescoed, that tell of miracles and devotion; paths that today seem to have vanished into thin air, but which were once used in woodland life and sheep-farming, and which still reveal breath-taking landscapes. It is highly surprising to find every so often that life is returning to these old mountain homes, as weird and wonderful characters and entire families flee from the chaos of the cities to live in the midst of nature. Mountain life was, and still is, hard work, and it is hard work too for the tourist who wishes to get to know that world and experience the emotions of living a very simple and basic kind of existence. But the happiness that living like that affords is priceless. In amongst the valleys and mountains, even the sublime art of cookery has retained the taste and perfume of bygone days. From fireplaces where soft wood-smoke curls, comes the perfume of polenta as it cooks slowly in its copper pot, while the inviting smell of stew or game floats from the windows. Here, those arts and crafts survive that everyone thought were lost to memory, and morning and evening a procession of grandparents winds through the woods and fields, and returns with baskets laden with fragrant herbs and sweet fruits. Small actions that equal the great conquests of life.

valli e monti

valleys and mountains

Percorsa dal Ticino e dall'Olona la pianura alto-milanese racchiude luoghi di formidabile civiltà che ci hanno lasciato cospicue tracce della loro storia antica. Chiese, conventi, ville e palazzi, con i tesori d'arte custoditi all'interno, ne sono la testimonianza più diretta. All'attento visitatore non sfugge però come gli stessi luoghi abbiano vissuto negli ultimi due-tre secoli una seconda rinascita che li ha trasformati profondamente ed ha aggiunto nuovi motivi di interesse. Le città della pianura varesina sono il museo a cielo aperto del portentoso passaggio di civiltà del quale siamo figli noi stessi. Ed è tempo di cogliere ormai i segni vivi di questa nuova civiltà che ha cambiato le strutture urbane, le armonie edilizie, le funzionalità dei servizi e ci ha donato una nuova qualità di vita. È nelle facciate dei palazzi, nei decori degli opifici, nei dettagli degli accessori urbani che incontriamo in tutto il suo splendore quell'arte liberty che costituisce la maggiore espressione della civiltà industriale del Varesotto. Il Liberty, assieme ad altre forme espressive coeve, è la dimostrazione di un salto di mentalità rivoluzionario in quanto collega l'arte alla vita quotidiana e diventa l'espressione dell'ascesa sociale della borghesia e talvolta persino della classe lavoratrice.

Watered by the Rivers Ticino and Olona, the plain to the north of Milan features places of impressive civilisation that still retain outstanding traces of their ancient history. Churches, convents, villas and palaces, all housing art treasures, give direct evidence. The attentive visitor will not, however, fail to notice how these same places have, over the last two-three centuries, enjoyed a revival that has greatly transformed them and added new items of interest. The cities of the Varese plain form an open-air museum showing the remarkable passage of the civilisations from which we spring. And it is time to understand the living signs of this new civilisation that has changed urban buildings, architectural harmony, the functional aspects of services, and has given us a fresh quality of life. It is in the facades of palaces, in factory decorations, in the detail of urban fittings and fixtures that we find in all its glory that Art Nouveau that represents the greatest expression of the industrial civilisation of the Varese area. Art Nouveau, with all the other contemporary forms of expression, demonstrates a revolutionary mental leap that links art to daily life, and represents the social rise of the middle class and sometimes even of the working class.

pianure e città

plains and cities

BECK'S

saldi
sales
rebajas

Massaggi
IANA
IANA
saldi
sales
rebajas

POLO
AT 379 YR
saldi
sales
rebajas
soldes

FARMACIA
PIZZA
STEAKHOUS
SASCH

GARIBALDI
MDCCCLXXXV

BECK'S

BASILICA MIN

le Volte
STEFANEL

LIBRERIA BONO
Libri per Ragazzi
LIBRERIA BONO

DJ 470KC
CV 047ZL

UNITRE
UNIVERSITÀ DELLE TRE ETÀ
Menabrea
Menabrea

Muzza
Muzza

Indice delle immagini

Index of Photographs

89 Un suggestivo angolo del Lago di Varese verso Gavirate.

90-91 Il superbo scenario del Monte Rosa che si specchia nel Lago di Varese.

92-93 Cazzago Brabbia, le tentazioni del Lago di Varese ghiacciato.

94 I misteriosi rifugi degli uccelli acquatici.

95 Suggestioni da Bosforo nella notte di Biandronno.

96-97 Bardello e il Monte Rosa.

98 Canneti e nuvole si cercano.

99 Giochi di luce lungo le colline e le rive.

100-101 Azzate, Comerio, Cazzago, Oltrona: tanti modi di vedere il Lago di Varese.

102-103 Il Lago di Varese è stato e rimane la palestra naturale per chi ama vogare.

104-105 La regale dignità del Lago di Varano Borghi...

106-107 ...e di quello di Monate.

108 Canottieri sul Lago di Monate.

109 Il prezioso Chiostro di Voltorre.

110-111 L'intensa attività del Golf Club di Luvinate.

112 Lo splendore del Chiostro di Luvinate.

113 Un magnifico colpo d'occhio dalla collina di Morosolo.

116-117 Ganna, la medievale abbazia dedicata a San Gemolo, martirizzato in Valganna.

118 I colori del Lago di Ganna.

119 Il Lago di Ghirla, un autentico bacino naturale.

121 Il Lago di Ganna avvolto dalla neve.

122 La neve esalta le forme pentagonali del Chiostro di Ganna.

123-124 Abbazia di Ganna, nel silenzio dell'inverno si percepisce ancora il canto dei monaci.

124 A Ghirla le rive del lago si congiungono alle case del Borgo.

125 Un improvviso raggio di luce ci svela Brinzio.

126-127 Brinzio con il suo laghetto e i monti circostanti è da sempre il biglietto da visita delle Prealpi varesine.

128-129 Villa Cicogna di Bisuschio ci trasmette l'rresistibile fascino della "dolce vita" di campagna.

130-131 Ai piedi del Monarco, il Castello di Frascarolo, culla del Medeghino e di papa Pio IV.

132-133 Il paesaggio irlandese della Martica, meta abituale degli escursionisti varesini.

134-141 In rapida successione, paese dopo paese, la Val Ceresio si apre allo sguardo del visitatore incantato, sino a sfociare sul Lago di Lugano e perdersi nello sconfinato scenario delle Alpi.

142-143 La Rasa, incantevole località ai piedi della Martica e del Sacro Monte.

144-145 Brinzio, con i caldi colori delle sue pietre e delle sue tegole, gioca a rimpiattino con i colori estivi della campagna e dei monti.

146-147 Rancio Valcuvia, crocevia di valli, strade e acque, dialoga con il monte San Martino.

148-149 La Valcuvia in tutta la sua naturale magnificenza.

150-152 Arcumeggia e i suoi celebrati affreschi d'autore.

153 La chiesetta di San Michele, autentico gioiello della pietà prealpina.

156-157 Castiglione Olona, la celebre Collegiata con gli affreschi di Masolino da Panicale.

158-159 La stanza del cardinale e umanista Branda Castiglioni.

160-161 Castel Seprio: neppure la furia distruttiva della guerra può cancellare la forza dell'arte e della fede.

162-163 Castel Seprio, Santa Maria Foris Portas: l'austera semplicità delle forme racchiude inestimabili tesori d'arte.

164-167 Torba, la Torre monastero e la Chiesa romanica.

168-169 Arsago Seprio, la Basilica di San Vittore e il Battistero ottagonale, autentici gioielli d'arte romanica.

170-173 Somma Lombardo, il turrito e artistico Castello della famiglia Visconti.

176-177 Lo sconfinato panorama del Lago Maggiore e della catena alpina.

178-179 La foto aerea rende ben visibile lo scenario nel quale hanno trovato origine il Lago Maggiore e i primi insediamenti umani delle terre circostanti.

180-181 Suggestiva visione notturna del lago Maggiore tra Laveno e Verbania.

182 Sesto Calende, il Ticino e il ponte in ferro che congiunge Lombardia e Piemonte.

183 Lentamente all'occhio del navigante si svela Angera con la sua Rocca.

184-185 La Rocca di Angera si offre civettuola allo sguardo dei turisti che passeggiano sull'elegante lungolago di Arona.

186-191 La Rocca di Angera fu un potente baluardo utilizzato dai Borromeo per il controllo del Lago Maggiore.

192 Visitare la Rocca d'Angera dona emozioni storiche e paesaggistiche davvero uniche.

193 Santa Caterina del Sasso Ballaro è il più fulgido gioiello d'arte religiosa del Lago Maggiore.

194-195 Nello stesso tempo Santa Caterina è uno dei siti turistici più appaganti per la sua bellezza.

88 Lake Varese with a view of Biandronno.

89 A suggestive spot on Lake Varese facing Gavirate.

90-91 The magnificent scenery of Monte Rosa reflected in Lake Varese.

92-93 Cazzago Brabbia, the delights of Lake Varese when frozen.

94 The secret nesting-places of water fowl.

95 Hints of the Bosporus at night in Biandronno.

96-97 Bardello and Monte Rosa.

98 Reeds and clouds reach towards each other.

99 A play of light over the hills and shores.

100-101 Azzate, Comerio, Cazzago, Oltrona: different ways of seeing Lake Varese.

102-103 Lake Varese was and still is nature's gym for rowing enthusiasts.

104-105 The regal dignity of the Lake of Varano Borghi ...

106-107 ... and Lake Monate.

108 Oarsmen on Lake Monate.

109 The renowned Cloister of Voltorre.

110-111 The bustling activity of the Golf Club at Luvinate.

112 The splendid Cloister at Luvinate.

113 A magnificent view from the hill at Morosolo.

116-117 Ganna, the mediaeval abbey dedicated to San Gemolo, martyred in the Valganna.

118 The colours of Lake Ganna.

119 Lake Ghirla, a genuine natural basin.

121 Lake Ganna blanketed in snow.

122 Snow enhances the pentagonal shape of the Cloister at Ganna.

123-124 The Abbey of Ganna, in the winter silence the songs of monks echo still.

124 The shores of Lake Ghirla slope up to the houses of the village.

125 A sudden ray of light reveals Brinzio.

126-127 Brinzio, with its small lake and surrounding hills, has always been the calling card of the Alpine foothills.

128-129 Villa Cicogna at Bisuschio exudes the charm of the "dolce vita" of the countryside.

130-131 At the foot of Mount Monarco, the Castle of Frascarolo, birthplace of Medeghino and Pope Pius IV.

132-133 The Irish landscape of Mount Martica, popular destination for the hikers of Varese.

134-141 In a swift succession of towns, the Ceresio Valley opens out before the eyes of the enchanted visitor, to flow into Lake Lugano or disappear into the boundless landscape of the Alps.

142-143 Rasa, a charming village at the foot of Mount Martica and the Sacro Monte.

144-145 Brinzio, with the warm tones of its stones and tiles, plays hide-and-seek with the summer colours of the countryside and hills.

146-147 Rancio Valcuvia, a crossroads of valleys, roads and rivers, communes with Mount San Martino.

148-149 The Valcuvia in all its natural glory.

150-152 Arcumeggia and its famous frescoed masterpieces.

153 The small church of San Michele, true gem attesting to the piety of the people of the Alpine foothills.

156-157 Castiglione Olona, the renowned Collegiate Church with frescoes by Masolino da Panicale.

158-159 The room of Branda Castiglioni, Cardinal and humanist.

160-161 Castel Seprio: not even the destructive fury of war can wipe out the power of art and faith.

162-163 Castel Seprio, Santa Maria Foris Portas: the austere simplicity of design safeguards priceless art treasures.

164-167 Torba, the Tower monastery and the Romanesque church.

168-169 Arsago Seprio, the Basilica of San Vittore and the octagonal Baptistery, genuine jewels of Romanesque art.

170-173 Somma Lombardo, the elegant, turreted Castle of the Visconti family.

176-177 An angled view of Lake Maggiore and the chain of the Alps.

178-179 The aerial photograph clearly shows the scenery in which Lake Maggiore was formed and the first human settlements were built.

180-181 Suggestive view by night of Lake Maggiore between Laveno and Verbania.

182 Sesto Calende, the River Ticino and the iron bridge that joins Lombardy and Piemonte.

183 Angera and its Fortress are slowly revealed to the eyes of the sailor.

184-185 The Fortress of Angera demurely reveals itself to tourists strolling along the elegant lake-front of Arona.

186-191 The Fortress of Angera was a mighty bastion used by the Borromeo family to control Lake Maggiore.

192 Visitors to the Fortress of Angera are awed by its historic atmosphere and truly unique views.

193 Santa Caterina del Sasso Ballaro is the most dazzling example of religious art treasures on Lake Maggiore.

196 Laveno Mombello e il mitico battello che conduce a Intra.

197 Laveno Mombello, panorama mozzafiato dal Sasso del Ferro.

198-199 Con rotta su Luino il Lago Maggiore acquista nuove, immense profondità.

200-201 Luino, il vecchio porto e il Caffè Clerici: alcuni dei luoghi più amati dallo scrittore Piero Chiara.

202 Tutto il fascino del Centro Storico di Luino.

203 Maccagno, Santuario della Madonnina della Punta.

206-208 Dove si ammirano due degli spettacolari scenari che si possono osservare percorrendo le montagne del Luinese.

209 Lungo gli alpeggi della Val Veddasca s'incontrano spesso attività legate alla pastorizia e alla lavorazione del latte.

210-211 La Forcora, paradiso degli sciatori del Varesotto.

212-213 Stretta attorno alla sua chiesa, Curiglia conserva intatta tutta la propria storia.

214-215 Struggente immagine di Monteviasco e dei paesi della Val Veddasca sullo sfondo del Lago Maggiore e delle Alpi: un autentico paradiso in terra.

216 Un suggestivo sentiero delle Prealpi varesine.

217 Il Lago Delio è la meta preferita degli escursionisti luinesi.

218-219 Rocce e verdi sfumature tipiche del paesaggio varesino.

220 Il monte Sette Termini, emblema della Valtravaglia.

221 Le infinite ricchezze naturalistiche della Martica viste da un sentiero che si perde nello spazio.

222-223 Campo dei Fiori: chi non vorrebbe percorrere in libertà questi sentieri?

224-225 Neve o prati fioriti, la poesia del Campo dei Fiori non ha limiti.

228 Il fiume Ticino con la forza delle sue acque e della sua natura rigogliosa caratterizza tutta la parte meridionale del Varesotto.

229-231 La campagna altomilanese con i suoi panorami stagionali.

232 Gallarate, nuovi commerci nell'antico Centro Storico.

233 Gallarate, la chiesa romanica di San Pietro e Santa Maria Assunta.

234-235 Gallarate, scene di vita cittadina.

236 Gallarate, Palazzo Borghi e i portici del Centro.

237 Gallarate, al caffè o in bici, la vita è sempre animata.

238 Busto Arsizio, una suora in bicicletta fa parte del tradizionale paesaggio urbano di questa operosa terra.

239 Un piacevole confronto di campanili nel Centro Storico.

240-241 La mestosa solennità di San Giovanni Battista.

242 Il Mortorio e uno scorcio dell'elegante via Milano.

243 Busto Arsizio protegge con orgoglio il suo cuore antico.

244-245 Busto Arsizio, la raffinata eleganza architettonica di Santa Maria di Piazza.

246-249 Percorrendo l'autostrada da Busto Arsizio a Castellanza verso Milano, con deviazione verso il Saronnese, si intersecano ancora estese pianure coltivate.

250-252 Saronno, gli eleganti Portici del Centro Storico, dove da secoli si svolge la vita cittadina e dove si trovano i negozi più raffinati.

253 L'antica chiesa dedicata a San Francesco.

254-255 Scene di vita cittadina.

256-257 Saronno, la sublime arte di Gaudenzio Ferrari è racchiusa nel Santuario della Beata Vergine dei Miracoli (foto d'Archivio dell'editore).

258-259 Van Gogh nel Varesotto.

260-264 L'ininterrotta visione della catena alpina con i laghi e le vallate prealpine cosparse di borghi dona a Varese dal punto di vista paesaggistico una ricchezza inestimabile.

194-195 *The beauty of Santa Caterina also makes it one of the most popular tourist attractions.*

196 *Laveno Mombello and the famous ferry that sails to Intra.*

197 *Laveno Mombello, the breath-taking view from the Sasso del Ferro.*

198-199 *Sailing towards Luino, Lake Maggiore acquires new and even greater depths.*

200-201 *Luino, the old port and the Café Clerici: some of the spots most beloved by the writer, Piero Chiara.*

202 *The charm of Luino's historic centre.*

203 *Maccagno, the Sanctuary of the Madonnina della Punta.*

206-208 *A view of two of the spectacular settings that can be seen from the Luino mountains.*

209 *Sheep and dairy farms are often to be found in the mountain pastures of the Veddasca Valley.*

210-211 *La Forcora, a skiing paradise in the Varese area.*

212-213 *Built around the church, Curiglia has kept its history intact.*

214-215 *Poignant images of Monteviasco and the towns of the Veddasca Valley with Lake Maggiore and the Alps in the background: a true heaven on earth.*

216 *A suggestive footpath in the Alpine foothills.*

217 *The Delio Lake is a popular destination for hikers from Luino.*

218-219 *Rocks and shades of green typical of Varese landscapes.*

220 *Mount Sette Termini, symbol of the Valtravaglia.*

221 *The boundless natural riches of Mount Martica as seen from a path that melts into space.*

222-223 *Campo dei Fiori: who could resist rambling freely along these paths?*

224-225 *Snow or flowering meadows, the poetry of the Campo dei Fiori is never-ending.*

228 *The River Ticino, the might of its waters and its flourishing vegetation characterise the entire southern part of the Varese area.*

229-231 *The countryside north of Milan with seasonal panoramas.*

232 *Gallarate, new businesses in the ancient historic centre.*

233 *Gallarate, the Romanesque church of Saint Peter and Santa Maria Assunta.*

234-235 *Gallarate, scenes of city life.*

236 *Gallarate, Palazzo Borghi and the arcades of the city centre.*

237 *Gallarate, at a coffee bar or on a bicycle, life is always animated.*

238 *Busto Arsizio, a nun on a bicycle is part of the traditional landscape of this industrious city.*

239 *A pleasing comparison between the bell-towers of the historic centre.*

240-241 *The majestic solemnity of San Giovanni Battista.*

242 *The Mortorio and a glimpse of the elegant Via Milano.*

243 *Busto Arsizio proudly protects its ancient hub.*

244-245 *Busto Arsizio, the refined architectural elegance of Santa Maria di Piazza.*

246-249 *Vast cultivated plains stretching towards Saronno are intersected by the motorway to Milan between Busto Arsizio and Castellanza.*

250-252 *Saronno, the elegant arcades of the historic centre, for centuries the hub of city life where the most exclusive shops are to be found.*

253 *The ancient church dedicated to Saint Francis.*

254-255 *Scenes of city life.*

256-257 *Saronno, the sublime art of Gaudenzio Ferrari is housed in the Sanctuary of the Blessed Virgin of Miracles (editor's archive photograph).*

258-259 *Van Gogh in the Varese area.*

260-264 *As far as landscapes are concerned, the uninterrupted panorama of the Alps, with the lakes and the valleys of the foothills scattered with villages, endows Varese with riches of inestimable worth.*